À DÉCOUVERT

HARLAN COBEN

À DÉCOUVERT

Traduit de l'anglais (États-Unis)
par Cécile Arnaud

Fleuve Noir

Titre original :
Shelter

Fleuve Noir, une marque d'Univers Poche,
est un éditeur qui s'engage pour
la préservation de son environnement
et qui utilise du papier fabriqué à partir
de bois provenant de forêts gérées
de manière responsable.

ISBN : 978-2-265-09250-1

Pour Charlotte, Ben, Will et Eve

1

J'allais au lycée en ruminant mon triste sort – mon père était mort, ma mère en cure de désintox, ma copine avait disparu – quand j'ai vu la femme chauve-souris pour la première fois.

J'avais entendu les rumeurs la concernant, bien sûr. On disait qu'elle vivait seule dans la maison délabrée au croisement des rues Hobart Gap et Pine. Vous voyez laquelle. Je me trouvais juste devant. La peinture jaune de la façade tombait par plaques comme le pelage d'un vieux chien. Le béton de l'allée se craquelait. Dans le jardin à l'abandon, les pissenlits mesuraient bien 1 m 20, la taille requise pour monter dans le grand huit.

On racontait que la femme chauve-souris avait 100 ans et ne sortait que la nuit. Gare au gamin qui n'était pas revenu de chez un copain ou de son entraînement de base-ball avant la tombée du jour. Si vous preniez le risque de rentrer à pied dans le noir ou si vous étiez assez dingue pour couper par son jardin… la femme chauve-souris vous attrapait !

L'histoire ne disait pas ce qu'elle faisait de vous. Aucun enfant n'avait disparu dans cette ville depuis des années. Des adolescents, comme Ashley, ma copine, oui : un jour ils étaient là, vous tenant la main, plongeant leur regard dans le vôtre à vous faire chavirer le cœur, et le lendemain… volatilisés ! Mais des enfants ? Non. Ils n'avaient rien à craindre, même de la femme chauve-souris.

Je m'apprêtais malgré tout à changer de trottoir – même moi, un adolescent qui rentrait en seconde, je préférais éviter cette maison flippante – quand la porte s'est entrebâillée.

Je me suis figé.

Pendant un moment, il ne s'est rien passé. La porte était maintenant grande ouverte, mais il n'y avait personne. J'ai attendu.

La seconde suivante, la femme chauve-souris était là.

C'est vrai qu'elle aurait pu avoir 100 ans. Voire 200 ans. Je ne savais pas d'où lui venait son surnom. Elle ne ressemblait pas à une chauve-souris. Ses cheveux gris lui descendaient jusqu'à la taille, à la mode hippie, et lui dissimulaient le visage. Sa tunique blanche en lambeaux évoquait une robe de mariée dans un vieux film d'horreur ou un clip de heavy metal. Elle avait la colonne vertébrale tordue en forme de point d'interrogation.

Lentement, la femme chauve-souris a levé une main si pâle qu'elle semblait presque bleutée et pointé un doigt osseux et tremblant dans ma direction. Je n'ai rien dit. Quand elle a été sûre que je la regardais, son visage ridé s'est fendu d'un sourire qui m'a fait froid dans le dos.

— Mickey ?

J'ignorais totalement comment elle connaissait mon nom.

— Ton père n'est pas mort, a-t-elle déclaré.

Ses mots m'ont causé un tel choc que j'ai fait un pas en arrière.

— Il est bien vivant.

Mais alors que je la regardais disparaître dans son antre décrépite, je savais qu'elle racontait n'importe quoi.

Parce que mon père était mort sous mes yeux.

OK, c'était déstabilisant.

Pendant un instant, j'ai attendu qu'elle ressorte. En vain. Je me suis donc approché de la maison, à la recherche d'une sonnette. Comme il n'y en avait pas, j'ai commencé à tambouriner à la porte. Je cognais si fort que le battant tremblait. Le bois, aussi râpeux que du papier de verre, m'a écorché les doigts. Des écailles de peinture tombaient comme des pellicules.

Mais la femme chauve-souris n'a pas reparu.

Et maintenant, quoi ? Je défonçais la porte... et ensuite ? Je me précipitais sur cette vieille dame et la sommais de justifier ses folles divagations ? Si ça se trouve, elle était déjà à l'étage. Elle se préparait peut-être pour sa journée de dingue, retirait son étrange robe blanche pour aller prendre sa douche...

Mieux valait m'en aller. Je ne voulais pas rater la première sonnerie. M. Hill, mon prof principal, était un maniaque de la ponctualité. En plus, j'espérais encore qu'Ashley serait de retour aujourd'hui. Elle avait disparu sans crier gare. Peut-être réapparaîtrait-elle de la même façon.

J'avais rencontré Ashley trois semaines plus tôt à la journée portes ouvertes, destinée à la fois aux nouveaux qui ne connaissaient personne (comme Ashley et moi) et aux troisièmes qui faisaient leur entrée au lycée. Ceux-là étaient allés au collège et à l'école primaire ensemble : il semblait qu'on ne quittait jamais cette ville.

Une journée portes ouvertes devrait servir à visiter les classes, faire le tour des locaux et rencontrer quelques camarades. Mais non, ça ne suffisait pas.

Il nous a aussi fallu participer à des exercices débiles et humiliants, visant à développer l'esprit d'équipe.

Le premier s'intitulait « les bras de la confiance ». Mme Owens, une prof de sport dont le sourire semblait avoir été dessiné par un clown ivre, a commencé par nous chauffer.

— Bonjour, tout le monde !

Quelques grognements en guise de réponse.

Puis – je déteste les adultes qui font ça – elle s'est écriée :

— Quel enthousiasme ! Je sais que vous pouvez faire mieux ! On recommence ! Bonjour, tout le monde !

Les élèves ont dit « Bonjour » un peu plus fort, non pas par enthousiasme, mais pour qu'elle s'arrête.

Elle nous a divisés en groupes de six – le mien se composait de deux élèves de troisième et de trois nouveaux de première et terminale qui, comme moi, venaient d'emménager en ville.

— L'un de vous va monter sur ce piédestal et aura les yeux bandés ! s'est exclamée Mme Owens.

Toutes ses phrases se terminaient par des points d'exclamation.

— Vous allez croiser les bras, et ensuite, vous ferez comme si le piédestal était en feu. Oh, non ! (Elle a porté les mains à ses joues, comme le gamin dans *Maman, j'ai raté l'avion !*) La chaleur est tellement insupportable que vous allez devoir vous laisser tomber en arrière !

Quelqu'un a levé la main.

— Pourquoi on doit garder les bras croisés, si le piédestal est en feu ?

Murmures d'assentiment.

Mme Owens ne s'est pas départie de son sourire maquillé, mais j'ai cru voir son œil droit tressauter.

— Vous avez les bras attachés !

— Ben non.

— Faites semblant !

— Mais dans ce cas, pourquoi on a besoin du bandeau ? On peut faire semblant de ne pas voir. Ou fermer les yeux.

La prof luttait pour garder le contrôle de la situation.

— Le piédestal est tellement chaud que vous tombez en arrière !

— En arrière ?

— On ferait mieux de sauter.

— C'est vrai, pourquoi on tomberait en arrière ? C'est pas logique, si le truc est brûlant.

Mme Owens en avait assez.

— Parce que c'est comme ça ! Vous tombez en arrière ! Le reste du groupe vous rattrapera ! Ensuite, vous inverserez les rôles jusqu'à ce que tout le monde soit passé !

Nous avons donc commencé l'exercice, sans zèle excessif. Mes camarades ont fait la grimace en me voyant : je mesure un mètre quatre-vingt-douze et pèse quatre-vingt-dix kilos. Avec nous, il y avait aussi une fille assez grosse, une élève de troisième habillée tout en noir. Je sais que je ne devrais pas la qualifier de « grosse » – ce n'est pas politiquement correct –, mais que dire d'autre sans paraître condescendant ? Forte ? Ronde ? Enrobée ? Je ne porte pas plus de jugement de valeur que si je disais petite, maigre ou osseuse.

La grosse a hésité, avant de se hisser sur le piédestal. Quelqu'un a ri. Puis quelqu'un d'autre.

Je ne voyais pas à quoi pouvait servir cet exercice, sinon à prouver à cette fille que la cruauté ne s'arrêtait pas à l'entrée au lycée.

Comme elle ne paraissait pas prête à se laisser tomber, l'un des troisièmes a ricané.

— Allez, Ema. On va te rattraper.

Sa voix n'avait rien de rassurant. Ema a baissé le bandeau et s'est retournée vers nous. J'ai croisé son regard et hoché la tête. Enfin, elle s'est laissée tomber. Nous l'avons rattrapée – certains ajoutant des grognements dramatiques –, mais elle n'avait pas l'air plus en confiance.

Ensuite, on a fait une partie de paint-ball idiote durant laquelle deux élèves se sont blessés, puis on est passés à un exercice intitulé le « beurre de cacahouète empoisonné » – non, je n'invente rien. L'épreuve consistait à traverser une mare de dix mètres de beurre de cacahouète empoisonné, mais, comme l'a expliqué la prof :

— Seuls deux d'entre vous à la fois peuvent mettre les chaussures antipoison !

En bref, il fallait porter les autres membres de l'équipe sur son dos. Les filles minces ont gloussé pendant qu'on les portait. Un photographe du *Star-Ledger* prenait des clichés. Le journaliste interrogeait une Mme Owens radieuse, dont les réponses fourmillaient d'expressions telles que « créer du lien », « accueillir », « faire confiance ». Je ne voyais pas trop quel genre d'article il allait pouvoir écrire, mais le journal recherchait peut-être désespérément du « vécu ».

Je me suis retrouvé à l'arrière de la file avec Ema. Du mascara noir dégoulinait sur son visage, mêlé à ce qui ressemblait à des larmes silencieuses. Le photographe allait-il saisir cette image-là ?

Alors que son tour approchait, j'ai vu Ema se mettre à trembler littéralement de peur.

Vous vous rendez compte ?

Vous êtes une fille, vous pesez dans les quatre-vingt-dix kilos, c'est votre premier jour dans un nouvel établissement scolaire, on vous a forcée à mettre un short de gym et, dans le cadre d'une activité de groupe complètement craignos, vos nouveaux camarades doivent vous traîner comme un tonneau de bière sur dix mètres alors que vous n'avez qu'une envie : vous rouler en boule et mourir.

Qui peut croire que c'est une bonne idée ?

Mme Owens s'est approchée de nous.

— Prête, Emma ?

Ema ou Emma ? Maintenant, je ne savais plus quel était son prénom.

Ema/Emma n'a rien dit.

— Allez, jeune fille ! Droit dans le beurre de cacahouète empoisonné ! À vous de jouer !

— Madame Owens ? ai-je demandé.

Elle a reporté son attention sur moi. Le sourire était toujours en place, mais les yeux se plissaient légèrement.

— Vous êtes ?

— Mickey Bolitar. J'entre en seconde. Et je vais m'abstenir de faire cet exercice, si c'est possible.

— Pardon ?

— Eh bien, je n'ai pas très envie de me faire porter.

Nouveau papillotement de l'œil droit de Mme Owens.

Les autres m'ont regardé comme si j'avais un troisième bras qui me poussait au milieu du front.

— Monsieur Bolitar, vous êtes nouveau ici. (Le point d'exclamation avait disparu de la voix de la prof.) J'aurais donc pensé que vous voudriez participer.

— C'est obligatoire ? ai-je demandé.

— Pardon ?

— Est-ce qu'on est obligés de participer à cet exercice ?

— Eh bien, non, ce n'est pas obli...

— Alors, je vais m'en dispenser. (J'ai regardé Ema/Emma.) Tu veux bien me tenir compagnie ?

Et je me suis éloigné. Dans mon dos, c'était le silence complet. Puis Mme Owens a sifflé la fin des réjouissances et annoncé la pause déjeuner.

— Ouah, a dit Ema/Emma quand nous avons été à quelques mètres du groupe.

— Quoi ?

Elle m'a regardé droit dans les yeux.

— T'as sauvé la grosse. T'es super fier de toi, hein ?

Puis elle a secoué la tête et s'est éloignée.

Je me suis retourné. Mme Owens nous observait. Elle souriait toujours, mais à son regard noir, j'ai compris que je m'étais fait une ennemie dès le premier jour.

Le soleil cognait. Tant pis. Fermant les yeux, j'ai pensé à ma mère, qui allait bientôt sortir du centre de désintox. À mon père, mort et enterré.

Je me suis senti très seul.

La cafétéria du lycée étant fermée – la rentrée n'aurait pas lieu avant plusieurs semaines –, on avait tous dû apporter notre déjeuner. J'avais acheté un sandwich au poulet chez Wilkes, et je me suis installé sur un talus herbeux surplombant le terrain de foot. C'est alors que je l'ai remarquée.

Elle n'était pas mon type, même si je n'ai pas vraiment de type. J'ai passé toute mon enfance à déménager d'un pays à l'autre – Laos, Pérou, Sierra Leone – au gré des missions de mes parents, qui travaillaient pour une association humanitaire. Je n'ai pas de frères et sœurs. Les voyages, je trouvais ça excitant et sympa étant petit, mais en grandissant, c'est devenu pesant. Je voulais qu'on se fixe quelque part. Je voulais me faire des amis, jouer dans une équipe de basket et, aussi, rencontrer des filles et faire des trucs d'ado. Des trucs pas évidents quand on arpente le Népal sac au dos.

Cette fille était très mignonne, c'est vrai, dans le genre sage et BCBG. Un peu hautaine, même. Elle avait des cheveux de poupée blond clair, portait une vraie jupe, pas une mini, et des socquettes : elle semblait tout droit sortie d'un catalogue de VPC des années soixante.

En mordant dans mon sandwich, j'ai remarqué qu'elle n'avait rien pour déjeuner. Est-ce qu'elle faisait partie de ces filles qui suivent des régimes bizarres ? Elle n'en avait pas l'air.

Sans trop savoir pourquoi, j'ai décidé d'aller vers elle. Je n'étais pourtant pas d'humeur à discuter ou à rencontrer des gens. J'avais encore du mal à m'habituer à toutes les nouvelles personnes qui venaient d'entrer dans ma vie.

C'est peut-être juste sa beauté qui m'a attiré, ce qui tendrait à prouver que je suis aussi superficiel que les autres. Ou le fait que, comme moi, elle semblait vouloir s'isoler. On dit que les solitaires s'attirent.

Je l'ai approchée timidement. Arrivé à proximité, j'ai fait un petit geste de la main.

— Salut.

J'ai un vrai talent pour les entrées en matière.

Elle a levé la tête, protégeant du soleil ses yeux d'un vert émeraude.

— Salut.

Oui, décidément très jolie.

Mal à l'aise, je me suis senti rougir. J'avais soudain l'impression que mes mains étaient trop grandes pour mon corps.

— Je m'appelle Mickey.

Encore une phrase percutante. J'étais coincé, ou quoi ?

— Et moi, Ashley Kent.

— Cool.

Quelque part en ce monde – en Chine, en Inde ou dans une contrée reculée d'Afrique –, il existait probablement pire crétin que moi. Mais je n'en aurais pas mis ma main à couper.

— Tu n'as rien apporté à déjeuner ?

— Non, j'ai oublié.

— Mon sandwich est énorme, ai-je dit. On partage ?

— Oh, non, je ne voudrais pas te priver.

Comme j'insistais, elle m'a proposé de m'asseoir avec elle. Ashley était en seconde, elle aussi, et venait de s'installer en ville. Son père était un chirurgien renommé, et sa mère était avocate.

Si la vie était un film, la musique aurait retenti à ce moment-là, une chanson sirupeuse, pendant que la caméra se serait attardée sur Ashley et moi, en train de déjeuner, de parler, de rire et, l'air intimidé, de nous prendre la main – jusqu'au premier chaste baiser.

La scène avait eu lieu trois semaines plus tôt.

Je suis entré dans la classe de M. Hill au moment où la cloche retentissait. Il a fait l'appel. Une deuxième sonnerie a annoncé le début du cours. La salle de cours d'Ashley se trouvait de l'autre côté du couloir. Apparemment, elle n'était toujours pas revenue.

Plus tôt, j'ai décrit Ashley comme ma copine. C'est peut-être exagéré. On allait doucement. On s'était embrassés deux fois – pas plus. Je n'avais pas accroché avec grand monde dans mon nouveau lycée. Elle, je l'aimais bien. Ce n'était pas de l'amour. C'était encore un peu tôt. D'un autre côté, ce genre de sentiment a tendance à s'affaiblir avec le temps. C'est la vérité. On se convainc qu'ils grandissent à mesure qu'on se rapproche de sa copine. Mais la plupart du temps, c'est l'inverse. Quand un garçon voit une fille super belle et qu'il a un gros coup de cœur, il commence à angoisser, à avoir tellement envie de sortir avec elle qu'il fait tout capoter.

S'il y réussit quand même, ses sentiments retombent presque immédiatement. Là, mes sentiments pour Ashley s'intensifiaient. C'était un peu effrayant, mais pas désagréable.

Puis un jour, Ashley n'est pas venue au lycée. J'ai essayé de l'appeler sur son portable, mais elle n'a pas répondu. Elle a aussi manqué le lendemain, et le surlendemain. Je ne savais pas trop quoi faire. Je ne connaissais pas son adresse. J'ai cherché les Kent sur Internet, sans succès.

Ashley avait disparu sans laisser de trace.

2

Une idée m'est venue pendant la troisième heure.

Ashley et moi, nous n'avions qu'un cours en commun : histoire, avec Mme Friedman. De tous les profs que j'avais eus jusqu'ici, c'était ma préférée. Elle se montrait enthousiaste et faisait de ses cours un spectacle. Ce jour-là, elle a évoqué la grandeur de certains personnages historiques et nous a exhortés à devenir « des hommes et des femmes de la Renaissance ».

Je ne lui avais encore jamais parlé en tête à tête, pas plus qu'à mes autres profs, d'ailleurs. Je gardais mes distances. En tant que « nouveau », je savais que je m'attirais des regards curieux. Un jour, j'avais surpris un groupe de filles en train de pouffer en lorgnant dans ma direction. L'une d'elles s'était approchée et m'avait demandé :

— Euh, je peux avoir ton numéro ?

Pris au dépourvu, je le lui avais donné.

Cinq minutes plus tard, nouveaux gloussements, et mon téléphone s'était mis à vibrer. Le SMS disait : **ma copine te kiffe**. Je n'avais pas répondu.

Après le cours, je me suis approché de Mme Friedman.

— Ah, monsieur Bolitar, a-t-elle dit, tandis qu'un sourire illuminait son visage. Je suis contente de vous avoir dans ma classe.

Ne sachant trop quoi répondre, je me suis contenté d'un :

— Euh, merci.

— Je n'ai jamais eu votre père, mais votre oncle était un de mes élèves préférés. Vous lui ressemblez.

Mon oncle. Le grand Myron Bolitar. Je ne l'aimais pas, et j'en avais marre d'entendre vanter ses mérites. Après avoir été très proches durant leur enfance, mon père et mon oncle s'étaient brouillés. Pendant les quinze dernières années de la vie de mon père – grosso modo, du moment de ma conception jusqu'au moment de sa mort – ils ne s'étaient pas adressé la parole. J'imagine que je devrais pardonner à mon oncle Myron, mais je ne suis pas trop d'humeur en ce moment.

— Que puis-je pour vous, monsieur Bolitar ?

Quand des profs vous appellent « monsieur » ou « mademoiselle », ils donnent l'impression d'être soit condescendants, soit trop guindés. Mais dans la bouche de Mme Friedman, ça sonnait juste.

— Comme vous le savez, ai-je dit, Ashley Kent est absente.

— En effet. (Mme Friedman faisait la moitié de ma taille et devait lever la tête vers moi pour me parler.) Vous êtes proches, tous les deux.

— On est amis.

— Oh, allez, monsieur Bolitar, je ne suis peut-être pas de la première jeunesse, mais je vois bien comment vous la regardez. Même Mlle Caldwell est vexée de ne pas réussir à attirer votre attention.

Rachel Caldwell, la fille la plus canon du lycée. En entendant ça, j'ai piqué un fard.

— Euh, ai-je repris, étirant le mot. Je me disais que je pourrais peut-être l'aider.

— L'aider de quelle manière ?

— Eh bien, je pensais récupérer les devoirs à faire et les lui apporter.

Mme Friedman était en train d'effacer le tableau. La plupart des profs utilisent un tableau interactif, mais comme elle s'amusait à nous le répéter, elle était « de la vieille école... littéralement ». Elle a suspendu son geste et s'est retournée vers moi.

— Ashley vous a demandé de lui apporter les devoirs ?

— Pas vraiment.

— Vous faites ça de votre propre initiative ?

C'était une idée débile. Même si Mme Friedman me donnait les devoirs pour les différentes matières, où est-ce que je les apporterais ? Je ne connaissais même pas l'adresse d'Ashley.

— Laissez tomber, ai-je dit. Merci quand même.

Elle a reposé le tampon.

— Monsieur Bolitar ? Vous savez pourquoi Ashley Kent est absente ?

Mon cœur s'est mis à cogner dans ma poitrine avec un bruit sourd.

— Non, madame.

— Mais vous vous inquiétez.

Je ne voyais pas l'intérêt de lui mentir.

— Oui, madame.

— Elle ne vous a pas appelé ?

— Non.

— C'est bizarre. (Elle a froncé les sourcils.) Tout ce que je peux vous dire, c'est que j'ai reçu une note me prévenant qu'Ashley ne reviendrait pas.

— Je ne comprends pas bien.

— C'est tout ce que je sais. Je suppose qu'elle a déménagé. Mais...

Sa voix a déraillé avant de s'éteindre.

— Mais quoi ?

— Rien. (Elle s'est remise à effacer le tableau.) Tout de même... faites attention.

sais la queue à la cafétéria.
toujours imaginé qu'une cafèt' de lycée aussi pleine d'animation et de psychodrames qu'un plateau de sitcom. Certes, il existait des clans mais ils ne s'affrontaient pas : ils s'ignoraient. Il y avait les sportifs, aux cheveux longs et aux muscles saillants ; les « Japanimes », fans de mangas, qui se prenaient pour des Asiatiques ; les jolies filles, en fait moins jolies que maigres, qui portaient des talons trop hauts et des fringues de marque ; sans oublier les *gamers*, accros aux jeux vidéo, les branchés, les skaters, les fumeurs de joints, les geeks, les théâtreux.

En apparence, pas beaucoup de lutte des classes, ici. Les élèves allaient à l'école ensemble depuis si longtemps qu'ils ne faisaient plus vraiment attention les uns aux autres. Les losers s'asseyaient tout seuls depuis tant d'années que ce n'était plus tant de la cruauté de la part des autres que la force de l'habitude. Je me demandais si c'était mieux ou pire.

Un garçon qui entrait incontestablement dans la catégorie des geeks s'est approché de moi, son plateau à la main. L'ourlet de son pantalon balayait le sol. Ses baskets étaient toutes blanches, sans logo.

Il a remonté ses lunettes rondes à la Harry Potter.

— Eh, tu veux ma cuillère ? m'a-t-il demandé. Je m'en suis à peine servi.

Ladite cuillère était plongée dans une coupe de fruits au sirop.

— Non, ai-je répondu. Ça va.

— T'es sûr ?

— Pourquoi ? Il n'y a pas assez de cuillères, ou quoi ?

— Si, il y en a plein.

OK, je voyais le genre du mec.

— Merci, c'est sympa, mais je vais me débrouiller.

Il a haussé les épaules.

— Comme tu veux.

Une fois mon déjeuner payé, j'ai trouvé Spoon – après l'épisode de la cuillère, le surnom s'était imposé – qui m'attendait.

— Tu vas t'asseoir où ? m'a-t-il demandé.

Depuis la disparition d'Ashley, je déjeunais seul dehors.

— Je ne sais pas encore.

Spoon m'a emboîté le pas.

— Tu mesures deux mètres et t'es toujours tout seul. Comme Shrek.

Que voulez-vous que je réponde à ça ?

— Je pourrais être ton Âne. Tu piges ?

Je pigeais même trop bien… Si j'allais dehors, il me suivrait, j'ai donc cherché une place tranquille dans la salle.

— Ou Robin. Comme Batman et Robin. Ou Sancho Panza. Tu as déjà lu *Don Quichotte* ? Moi non plus, mais j'ai vu la comédie musicale, *L'Homme de la Mancha*. J'adore les comédies musicales. Mon père aussi. Ma mère, moins. Elle préfère le MMA. C'est du combat-complet. Mon père et moi, on va voir une comédie musicale par mois. Tu aimes ça, toi ?

— Bien sûr, ai-je dit, scrutant la cafèt' pour trouver un endroit où me réfugier.

— Mon père est trop sympa. De m'emmener à des spectacles et tout. On a vu trois fois *Mamma Mia*. C'était génial. Le film m'a moins plu. Le pauvre Pierce Brosnan chante comme une casserole. Mon père a des billets moins chers parce qu'il travaille ici, au lycée. C'est le concierge. Mais ne va pas lui demander de te faire entrer dans le vestiaire des filles, hein ? Parce que je lui ai déjà demandé et qu'il a refusé tout net. Il peut être vachement strict, mon père, tu sais ?

— Oui, je sais.

Il y avait une table presque vide dans le coin des losers. Seule personne déjà installée : Ema ou

Emma – je ne savais toujours pas –, mon ingrate damoiselle en détresse.

— Bon, alors, ça te dirait, que je sois ton Âne ?

— Je réfléchis et on en reparle, OK ?

Je l'ai planté là et suis allé poser mon plateau à côté de celui d'Ema/Emma. Elle avait les yeux charbonneux, des cheveux noir de jais, des fringues noir corbeau, des bottes noir tout court et le visage blême. Le look gothique, ou emo, ou quel que soit son nom maintenant. Ses avant-bras étaient couverts de tatouages. L'un d'eux sortait de son T-shirt pour s'enrouler autour de son cou. Elle a levé vers moi un visage renfrogné.

— Oh, super ! a-t-elle dit. Encore le coup de la pitié.

— Qu'est-ce que tu racontes ?

— Réfléchis.

Ce que j'ai fait.

— Ah, d'accord. Genre, j'ai pitié de toi parce que tu es toute seule. Donc, je m'assois à ta table.

Elle a levé les yeux au ciel.

— Eh ben, y en a là-dedans ! Et moi qui te prenais pour un sportif décérébré !

— J'essaie de me conduire en homme de la Renaissance.

— J'en déduis que toi aussi tu as Friedman. (Elle a regardé à droite et à gauche.) Où est ta petite copine BCBG ?

— Je ne sais pas.

— Passer de la super mignonne à… à moi. Tu parles d'une dégringolade.

Ema/Emma a secoué la tête. Ignorant la raillerie, je lui ai demandé :

— Tu t'appelles comment ?

— Pourquoi ça t'intéresse ?

— J'ai entendu quelqu'un t'appeler Ema. Et Owens a prononcé « Emma ».

Elle a pris sa fourchette et s'est mise à jouer avec sa nourriture. J'ai remarqué qu'elle avait des piercings dans les sourcils.

— Mon prénom, c'est Emma. Mais tout le monde m'appelle Ema.

— Pourquoi ? Je veux juste savoir comment m'adresser à toi.

— Ema, a-t-elle répondu à contrecœur.

— OK, Ema.

Elle continuait à triturer le contenu de son assiette.

— Et à part ça, qu'est-ce que tu fais ? Je veux dire, quand tu ne voles pas au secours de la grosse.

— Le couplet sarcastique, c'est lassant, à force.

— Tu trouves ?

— Tu devrais changer de disque.

Elle a haussé les épaules.

— Ouais, peut-être. Tu es nouveau, c'est ça ?

— Oui.

— Tu viens d'où ?

— On a pas mal voyagé. Et toi ?

Elle a fait la grimace.

— J'ai passé toute ma vie ici.

— Ça n'a pas l'air si affreux.

— Je ne t'ai pas encore vu essayer de t'intégrer.

— Je ne veux pas m'intégrer.

La réplique a plu à Ema. Baissant les yeux sur mon plateau, j'ai pris ma cuillère, ce qui m'a fait penser à... à Spoon. J'ai souri.

— Quoi ? m'a demandé Ema.

— Rien.

C'était bizarre de songer que, à mon âge, mon père s'asseyait dans cette même cafèt' pour déjeuner. Il était jeune et avait la vie devant lui. À quel endroit s'installait-il ? Avec qui parlait-il ? Est-ce qu'à cette époque, il riait aussi facilement que quand je l'avais connu ?

Ces pensées m'ont fait l'effet d'un gigantesque poids sur la poitrine. J'ai cligné des paupières et reposé ma cuillère.

— Eh, ça va ? m'a demandé Ema.

— Bien.

J'ai repensé à la femme chauve-souris et à ce qu'elle m'avait dit. La vieille folle. Une réputation comme la sienne, ça ne naît pas par hasard. Elle avait dû faire des choses bizarres… comme dire à un garçon qui a vu son père mourir dans un accident de voiture que l'homme qui lui manque tant est encore en vie.

Je me suis revu huit mois plus tôt, le jour où nous étions arrivés à Los Angeles, mes parents et moi. Ils voulaient qu'on s'installe dans un endroit où je pourrais aller au lycée, jouer dans une équipe de basket et peut-être, ensuite, entrer à la fac.

Beau projet, hein ?

À présent, mon père était mort et ma mère détruite.

— Ema ? (Elle m'a regardé d'un air circonspect.) Qu'est-ce que tu sais sur la femme chauve-souris ?

Quand elle a écarquillé les yeux, ses cils couverts de mascara se sont déployés comme un éventail.

— Ah ! Je pige, maintenant.

— Qu'est-ce que tu piges ?

— Pourquoi tu t'es assis là. Tu t'es dit que la grosse folle saurait tout sur la vieille folle.

— N'importe quoi !

Ema s'est levée, son plateau dans les mains.

— Lâche-moi, OK ?

— Non, attends, tu ne comprends pas…

— Je comprends très bien. Tu as fait ta B.A.

— Arrête un peu avec ça ! Ema ?

Elle s'était déjà éloignée. Je me suis levé pour la suivre, mais deux gros malabars m'ont intercepté en ricanant. L'un s'est placé à ma droite. L'autre à ma gauche. Tous deux portaient le blouson de l'équipe de football américain du lycée. Celui de droite – prénommé Buck, d'après l'inscription sur son torse – m'a donné une grande claque sur l'épaule en disant :

— Tu viens de te prendre un vent, pas vrai ?

Ce qui n'a pas manqué de faire marrer son copain – prénom : Troy.

— Ouais, un sacré vent, a renchéri Troy. Avec la grosse.

— Grosse et moche. (Dixit Buck.)

— Mais tu t'es quand même pris un vent. (Troy.)

— Pauvre vieux.

Buck et Troy se sont fait un *check*. Puis ils m'ont tendu leur paume.

— Tope là, mec !

J'ai froncé les sourcils.

— Eh, les gars, vous n'auriez pas une seringue de stéroïde qui aurait besoin d'une fesse, là ?

Leurs bouches se sont arrondies de surprise. Je les ai bousculés pour passer. Buck a crié dans mon dos :

— Tu nous le paieras. T'es un homme mort.

— Ouais, t'es un homme mort, a répété Troy.

— Un homme mort.

Eh ben, j'espérais que ce surnom n'allait pas me coller à la peau.

Alors que je courais après Ema, j'ai vu Mme Owens, qui surveillait la cafèt', se précipiter pour me barrer la route. Ses yeux brillaient. Apparemment, la prof de gym ne m'avait pas pardonné le fiasco de la journée portes ouvertes. Le sourire maquillé, elle s'est plantée devant moi et a soufflé un grand coup dans son sifflet.

— On ne court pas dans la cafétéria ! Sinon, c'est une semaine de colle. Me suis-je bien fait comprendre ?

J'ai regardé autour de moi. Buck a mimé un pistolet avec ses doigts. Ema a reposé son plateau et passé les portes de la cafèt'. Mme Owens a souri, me mettant au défi de lui courir après. Je me suis abstenu.

Décidément, j'avais un don pour me faire des amis.

3

Allez savoir pourquoi, le cadenas de mon casier ne s'ouvre jamais du premier coup.

Je venais de saisir la combinaison : 14, retour à 7, puis 28... Raté. J'allais recommencer quand une voix à présent familière a résonné dans mon dos :

— Je collectionne les figurines qui bougent la tête.

Je me suis tourné vers Spoon.

— C'est bon à savoir.

Me faisant signe de m'écarter, il a sorti un trousseau de clés géant, trouvé celle qu'il cherchait et l'a insérée dans mon cadenas. Le casier s'est ouvert illico.

— C'est quoi, ta combinaison ? m'a-t-il demandé.

— Euh, je dois vraiment te la donner ?

— Ohé, du bateau ! (Spoon a agité son trousseau devant mon nez.) Tu crois vraiment que j'ai besoin de ta combinaison pour ouvrir ton casier ?

— Bien vu.

Je lui ai indiqué les chiffres. Il a bricolé le cadenas, puis me l'a rendu.

— Tiens, tu ne devrais plus avoir de problème, maintenant.

Il a commencé à s'éloigner.

— Eh, Spoon ?

Il s'est retourné vers moi.

— Comment tu m'as appelé ?

— Désolé, je ne connais pas ton nom.

— Spoon, a-t-il dit, levant les yeux vers le ciel et souriant comme s'il prononçait ce mot pour la première fois. Ça me plaît bien. Ouais. Appelle-moi Spoon, d'accord ?

— Si tu veux. (Il m'a regardé, dans l'expectative.) Euh… Spoon.

Ce qui m'a valu un grand sourire. Je ne savais pas trop comment formuler ma question, puis je me suis jeté à l'eau :

— C'est un sacré trousseau que tu as, là.

— Ne m'appelle pas Clé, d'accord ? Je préfère Spoon.

— OK, ça roule. Spoon. Tu m'as bien dit que ton père est le concierge du lycée ?

— Ouais. Au fait, la Sorcière blanche, dans Narnia, je la trouve super canon.

— Oui, moi aussi, ai-je répondu, avant d'essayer de le ramener au sujet qui m'intéressait. Grâce à ton père, tu peux avoir accès à des coins verrouillés du bahut ?

Spoon a souri.

— Bien sûr, mais je n'ai pas vraiment besoin de lui demander. J'ai les clés, là. (Il les a agitées de nouveau, au cas où je n'aurais pas compris de quelles clés il parlait.) Mais on ne peut pas aller dans le vestiaire des filles. Je lui ai déjà posé la question…

— Non, bien sûr, pas le vestiaire des filles. Mais tu peux accéder à d'autres endroits ?

— Pourquoi ? Tu penses à quoi ?

— Eh bien, je me demandais si on pouvait entrer dans le bureau de l'administration pour consulter le dossier d'un élève.

— Quel élève ?

— Elle s'appelle Ashley Kent.

Les cours se terminaient à 15 heures, mais Spoon m'a dit que la voie ne serait pas libre avant 19 heures. Ce qui me laissait quatre heures à tuer. Comme il était trop tôt pour aller voir ma mère – je n'avais droit qu'aux heures de visite du soir, parce que dans la journée, maman suivait son programme de désintox –, j'ai décidé de retourner faire un tour du côté de chez la femme chauve-souris.

En sortant du lycée, j'avais un message vocal. Sûrement un adulte. Les jeunes s'envoient des SMS. Les adultes laissent des messages vocaux, ce qui est pénible parce qu'il faut rappeler la messagerie et écouter tout le blabla avant de pouvoir en prendre connaissance et les effacer.

Ouais, j'avais raison. C'était mon oncle.

— J'ai réservé nos billets pour Los Angeles, disait-il d'une voix maussade. On part samedi à la première heure. On rentre le lendemain.

Los Angeles. Nous allions nous recueillir sur la tombe de mon père. Myron n'avait jamais vu l'endroit où reposait son petit frère. Mes grands-parents, qui nous retrouveraient là-bas, non plus.

— J'ai pris un billet pour ta mère, bien sûr, poursuivait Myron. On ne peut pas la laisser toute seule. Je sais que vous voulez des retrouvailles intimes demain, mais je ferais peut-être mieux de rester dans les parages, au cas où.

Il n'en était pas question.

— Bon, j'espère que tout va bien de ton côté. Je serai à la maison ce soir, si tu veux qu'on partage une pizza.

N'ayant aucune envie de lui parler, j'ai envoyé un texto : **Pas là pour dîner. Et ce sera moins stressant pour maman si tu n'es pas dans le coin.**

Ça n'allait pas lui plaire, mais tant pis. Mon oncle n'était pas mon tuteur légal. Ça faisait partie de l'accord que nous avions passé. En apprenant la mort de mon père et l'état de ma mère, il avait menacé de réclamer ma tutelle. J'avais contre-attaqué en disant que s'il faisait ça, je fuguerais – il me restait encore pas mal de contacts à l'étranger – ou je demanderais mon émancipation.

Ma mère avait beau avoir des problèmes, c'était toujours ma mère.

La lutte avait été âpre, mais à la fin, nous étions parvenus à un cessez-le-feu. J'avais accepté de vivre chez lui à Kasselton, dans le New Jersey. Dans la maison où mon père et Myron avaient grandi. Oui, c'est vrai, c'était bizarre. Je m'étais installé dans l'ancienne chambre de mon oncle, au sous-sol, et j'évitais autant que possible les autres pièces, où mon père avait passé son enfance.

En contrepartie, Myron avait accepté que ma mère reste ma seule responsable légale, et aussi de me ficher la paix. C'était cette clause-là de l'accord qu'il avait du mal à respecter.

Le vent s'était levé et agitait les arbres dénudés du jardin de la femme chauve-souris. La maison avait un aspect lugubre. Au fil de nos voyages, j'avais découvert toutes sortes de superstitions aux quatre coins du globe. Même si mes parents m'avaient toujours incité à rester ouvert d'esprit, la plupart me semblaient ridicules. Je ne croyais pas aux maisons hantées, pas plus qu'aux fantômes, aux esprits ou aux phénomènes paranormaux.

Heureusement pour moi, parce que cette baraque en avait l'air pleine.

Elle était tellement délabrée qu'elle semblait pencher au point de s'effondrer au moindre coup de vent. Des bardeaux étaient décrochés. Sur certaines fenêtres, des planches remplaçaient les vitres. Celles qui restaient étaient embuées comme si la maison venait de prendre une douche brûlante – ce qui, vu son état de saleté, paraissait impossible.

Si je n'avais pas aperçu moi-même la femme chauve-souris, j'aurais juré que la maison était abandonnée depuis des lustres.

Une fois encore, j'ai frappé à la porte. Pas de réponse. J'ai approché l'oreille du battant – pas trop près, de peur d'attraper une écharde. Pas un bruit. J'ai toqué une nouvelle fois. Toujours aucun signe de vie.

Décidant d'aller inspecter l'arrière de la bâtisse, j'ai pris soin de la contourner par la gauche du côté qui ne penchait pas : en cas d'écroulement soudain, je ne me retrouverais pas dessous. Tout en haut, il y avait une lucarne. Pendant un instant, je me suis imaginé que la femme chauve-souris me regardait de ce poste d'observation, assise dans son rocking-chair, toujours vêtue de blanc.

J'ai pressé le pas, curieux de ce que j'allais trouver dans le jardin de derrière.

Et là, surprise.

La maison était littéralement collée à la forêt. Incroyable… et impossible à deviner depuis la rue. On aurait dit qu'elle faisait corps avec les bois. Les racines des arbres paraissaient plonger dans ses fondations. D'épaisses plantes grimpantes montaient à l'assaut de ses murs. J'ignore si on avait construit la maison dans la forêt avant de dégager une clairière devant, ou si la forêt avait lentement gagné du terrain, menaçant maintenant d'engloutir la bâtisse.

— Qu'est-ce que tu fabriques ?

J'ai étouffé un cri et fait un tel bond que j'aurais pu facilement marquer un panier. Pivotant sur mes talons, je me suis retrouvé face à Ema.

— Je t'ai fait peur, hein ? (Elle a ri et levé les bras comme des ailes.) Tu as cru que c'était la femme chauve-souris qui venait t'emporter ?

— Hilarant.

Ma voix n'était plus qu'un murmure.

— Un vrai dur, dis donc !

— On peut savoir ce que tu fais là ?

Elle a haussé les épaules.

— Attends ! Tu me suivais ?

— Dans tes rêves ! (Elle a soupiré.) Bon... Tu as parlé de la femme chauve-souris. Et tu es venu à mon secours, pas vrai ? J'étais curieuse, c'est tout.

— Donc, tu m'as suivi jusqu'ici ?

Ema ne m'a pas répondu. Elle a regardé autour d'elle, comme si elle prenait conscience qu'on se trouvait à moitié dans les bois, à moitié adossés à l'arrière de la maison de la femme chauve-souris.

— Qu'est-ce que tu fais ici, d'ailleurs ? Comme tu t'es pris un vent avec la grosse, tu t'es dit que tu allais essayer avec la vieille ? Oui, je les ai entendus. Buck et Troy. Ils m'insultent depuis tellement longtemps que j'ai même oublié l'époque où ils me laissaient tranquille. (Elle a détourné la tête, se mordant la lèvre inférieure, avant de me faire face.) Je les ai aussi entendus te menacer pour avoir pris ma défense.

Comme je me contentais de hausser les épaules, elle a repris :

— Alors, qu'est-ce que tu fais là ?

Je me suis demandé comment lui expliquer, puis j'ai opté pour le plus simple :

— Je voudrais parler à la femme chauve-souris.

Ema a souri.

— Non, sérieusement ?

— Je suis sérieux.

— Arrête ! Tu sais bien qu'elle n'existe pas. La chauve-souris, c'est juste un mythe inventé par les ados pour faire peur aux petits. À ma connaissance, personne ne l'a jamais vue.

— Moi, je l'ai vue.

— Quand ?

— Ce matin. Elle m'a dit que mon père était encore en vie.

Ema n'a pas semblé comprendre.

— Il est mort dans un accident de voiture au début de l'année.

— Oh ! (Elle a eu l'air effaré.) Je ne sais pas quoi te dire.

— Je veux seulement lui parler.

— OK, je comprends… Je t'ai vu frapper à sa porte. Et maintenant, c'est quoi, ton plan ?

— Essayer la porte de derrière.

— Logique. (Ema a scruté les alentours, les yeux plissés.) Regarde !

Elle a pointé le doigt vers la forêt. Moi, je ne voyais rien d'autre que des arbres.

— Il y a un chemin, là-bas. Et une bicoque, aussi, j'ai l'impression.

Je ne distinguais toujours rien. Ema a avancé dans cette direction. Je l'ai suivie. Après quelques pas, je me suis rendu compte qu'elle avait raison. À environ cinquante mètres derrière la maison de la femme chauve-souris, il y avait une sorte de garage, peint en brun-vert camouflage. Une route de terre, se perdant dans le bois, y menait. De la maison, ni la route ni la construction n'étaient visibles.

Ema s'est baissée pour toucher la terre.

— Il y a des empreintes de pneus, a-t-elle dit, comme si elle était dans un vieux western et suivait une piste. C'est par ce chemin que la femme chauve-souris doit aller et venir. Elle peut se garer là et rentrer chez elle sans que personne ne la voie.

— Parce qu'elle conduit ?

— Tu croyais quoi, qu'elle volait ?

Un frisson m'a parcouru l'échine. Le garage était en meilleur état que la maison, mais à peine. J'ai essayé d'ouvrir la porte. Verrouillée. Comme il n'y avait pas de fenêtre, je n'ai pas pu voir s'il y avait une voiture garée à l'intérieur.

Je ne savais pas quelles conclusions tirer de ces découvertes. Probablement aucune. Une vieille dame excentrique vivait ici. Elle préférait aller et venir en utilisant un accès privé. Pas de quoi se monter la tête. Je n'avais aucune raison d'être là.

Sauf, bien sûr, qu'elle connaissait mon prénom. Et qu'elle avait prononcé ces paroles étranges au sujet de mon père...

Qui dit des trucs pareils ? « Ton père est encore en vie » ? Qui fait ça ?

Stop ! Ça suffisait comme ça. J'ai fait volte-face et suis retourné vers la porte de derrière. J'ai frappé. Pas de réponse. J'ai frappé plus fort. Les vitres de la porte étaient sales. Plaçant les mains en coupe autour de mes yeux, je me suis collé contre l'imposte et j'ai senti que le battant avait du jeu. Les montants étaient pourris. Plongeant la main dans ma poche, j'en ai sorti mon portefeuille, d'où j'ai extrait ma carte de crédit, en m'arrangeant pour dissimuler le nom.

— Ouah ! s'est exclamée Ema. Tu sais forcer une porte ?

— Non, mais je l'ai vu faire à la télé. Je crois qu'il suffit de glisser la carte.

— Et tu penses que ça va marcher ?

— Normalement, non. Mais tu as vu l'état de la serrure ? On a l'impression qu'on pourrait l'ouvrir rien qu'en soufflant dessus.

— OK, mais tu es bien sûr de ce que tu fais ?

— Quoi ?

— Imagine que la porte s'ouvre. Qu'est-ce qui se passe, après ?

Je ne réfléchissais pas aussi loin. J'ai fait glisser la carte dans l'interstice entre la porte et le montant et forcé un peu. Sans résultat. J'étais sur le point de renoncer quand la porte s'est ouverte, dans un craquement suffisamment sonore pour se répercuter dans les bois.

— Ouah ! a répété Ema.

J'ai poussé la porte. Le craquement s'est amplifié, dispersant des oiseaux. Ema a posé la main sur mon avant-bras. Elle avait les ongles noirs et des bagues à tous les doigts. L'une était ornée d'une tête de mort sur des os croisés.

— C'est une effraction, m'a-t-elle dit.

— Tu vas appeler les flics ?

— Tu déconnes ?

Ses yeux se sont illuminés. Elle a soudain paru plus jeune, plus douce, presque une petite fille. Lorsque j'ai vu l'ombre d'un sourire se dessiner sur ses lèvres, j'ai haussé un sourcil. Ema s'est renfrognée aussi sec.

— Bon, a-t-elle repris d'un ton qui se voulait désinvolte. C'est cool.

Non, pas très cool, en fait. Voire carrément idiot. Mais le besoin de faire quelque chose, n'importe quoi, a été le plus fort. En plus, le risque était limité, non ? Une vieille bonne femme m'avait crié des trucs dingues le matin. J'étais repassé pour lui parler et en avoir le cœur net. Comme personne n'avait répondu, j'avais voulu m'assurer qu'elle allait bien. Voilà ce que je raconterais en cas de besoin. Allait-on me mettre en prison pour ça ?

— Il vaudrait mieux que tu rentres chez toi, ai-je dit à Ema.

— Tu rêves.

— D'accord, j'aurai peut-être besoin d'un guetteur.

— Je préférerais entrer avec toi.

J'ai secoué la tête. Ema a soupiré.

— OK, je ferai le guet. (Elle a sorti son portable.) C'est quoi, ton numéro ?

Je le lui ai donné.

— Je reste là. Si je la vois battre des ailes, je t'envoie un SMS. Au fait, tu comptes faire quoi si elle est tapie dans l'ombre à l'intérieur, prête à se jeter sur toi ?

Je n'ai pas pris la peine de répondre, même si, en vérité, je n'avais pas pensé à ça. Et si la femme chauve-souris m'attendait et... et quoi ? Que pouvait-elle me faire ? Je mesure un mètre quatre-vingt-douze. Ce n'était qu'une petite bonne femme toute frêle. On se calme.

Je suis entré dans la cuisine, laissant la porte ouverte derrière moi. Je voulais pouvoir déguerpir en vitesse au cas où...

La cuisine datait d'une autre époque. Un jour, avec mon père, j'avais regardé une rediffusion d'une vieille sitcom appelée *The Honeymooners*. Je n'avais pas trouvé ça très drôle. En guise de ressort comique, Ralph, le personnage principal, menaçait constamment de frapper sa femme, Alice. Bref, Ralph et Alice possédaient un réfrigérateur exactement comme celui-là. Le lino éraflé était aussi jaune que les dents d'un fumeur. Une pendule à coucou était arrêtée, son oiseau sorti de la petite maison en bois. Comme s'il était mort.

— Ohé ? ai-je crié. Il y a quelqu'un ?

Pas un bruit.

J'aurais dû m'en aller. Qu'est-ce que je cherchais ?

Ton père n'est pas mort. Il est bien vivant.

D'un côté, j'étais le mieux placé pour savoir que c'était faux, puisque je me trouvais dans la voiture avec mon père au moment de l'accident. Je l'avais vu mourir. D'un autre côté... on ne peut pas dire un truc pareil à un fils sans s'attendre à ce qu'il exige une explication.

J'ai traversé la pièce sur la pointe des pieds. La table était recouverte d'une nappe à carreaux comme on en voit dans les pizzérias. Une salière et une poivrière, dont le contenu avait durci, y étaient collées. Sortant de la cuisine, je me suis arrêté devant un escalier en colimaçon qui montait au premier étage.

Où se trouvait sûrement la chambre de la femme chauve-souris.

— Ohé ?

Toujours pas de réponse.

J'ai posé le pied sur la première marche. Aussitôt, le même film d'horreur, les images de la vieille dame se déshabillant ou passant sous la douche, me sont revenues à l'esprit. J'ai retiré mon pied. Oh, non. Pas question d'aller là-haut. Du moins, pas tout de suite.

Je suis entré dans le salon, plongé dans la pénombre. Couleur dominante : le marron. Très peu de lumière parvenait à filtrer à travers la pellicule de poussière ou les planches recouvrant les fenêtres. Dans cette pièce aussi, l'antique horloge était arrêtée. J'ai remarqué un vieux meuble hi-fi, avec une platine sur le dessus. Je crois qu'on appelait ça une chaîne stéréo, autrefois. Des vinyles étaient rangés à côté. J'ai reconnu *Pet Sounds* des Beach Boys, les Beatles qui traversaient Abbey Road et *My Generation*, des Who.

J'ai essayé d'imaginer la femme chauve-souris en train d'écouter des classiques du rock à fond dans cette pièce. Mais l'image était trop bizarre.

Je me suis immobilisé pour tendre l'oreille. Rien. Mon regard s'est posé sur une immense cheminée, à l'autre bout du salon. Le dessus était vide, à l'exception d'une photo. J'allais m'en approcher quand un détail a attiré mon attention.

Un disque était posé sur la platine.

Je le connaissais très bien cet album, le dernier que la femme chauve-souris avait passé. C'était *Aspect de Junon*, du groupe HorsePower. Mes parents l'écoutaient très souvent. À l'époque de leur rencontre, ma mère était amie avec Gabriel Wire et Lex Ryder, les membres de ce groupe. Plusieurs fois, alors que mon père était en voyage, j'avais surpris ma mère, seule, qui pleurait en écoutant cette musique.

Une coïncidence ?

Forcément. HorsePower était un groupe de légende. Plein de fans les écoutaient toujours. Un de leurs disques se trouvait sur la platine de la femme chauve-souris… et alors ? Pas de quoi en faire toute une histoire.

Sauf que si. Mais quelle histoire ? Je l'ignorais encore.

Avance, me suis-je dit.

Je me suis approché de la photo sur le manteau de la cheminée. Le foyer était plein de suie et de bouts carbonisés de papier journal jauni. J'ai pris le cadre avec précaution, par crainte de le casser rien qu'en le touchant. Le verre était couvert d'une telle couche de poussière que j'ai cru malin de souffler dessus pour la disperser. Grosse erreur. Elle a volé partout, me rentrant dans les yeux et dans le nez. J'ai éternué. À cause des larmes, j'ai dû cligner des paupières plusieurs fois avant de pouvoir contempler la photo que j'avais dans les mains.

Des hippies.

Ils étaient cinq, trois femmes et deux hommes, alignés comme suit : fille-garçon-fille-garçon-fille. Tous avaient les cheveux longs et portaient un pantalon pattes d'éléphant et des colliers multicolores. Les filles avaient des fleurs dans les cheveux, les garçons une barbe un peu hirsute. C'était une vieille photo – sans doute prise dans les années soixante. Elle me rappelait un documentaire que j'avais vu sur Woodstock.

Les couleurs avaient passé au fil des années, mais on devinait qu'elles avaient dû être éclatantes. Les cinq jeunes, un grand sourire aux lèvres, se tenaient devant un immeuble de brique. Ils portaient tous le même T-shirt délavé, orné d'un emblème bizarre sur la poitrine. Au début, j'ai cru qu'il s'agissait d'une espèce de symbole de paix. Mais non. J'ai eu beau le scruter, je n'ai pas réussi à l'identifier. On aurait dit… je ne sais pas exactement… une sorte de papillon mal dessiné. J'avais lu un article sur le test de Rorschach, ces taches d'encre floues dans lesquelles les gens voient des choses différentes. Le motif ressemblait un peu à ça, à la différence près que les taches de Rorschach sont noires tandis que celles-là étaient très colorées. À y regarder de plus près, je distinguais bel et bien un papillon. À l'extrémité des ailes, il y avait deux ronds... comme des yeux. Peut-être des yeux d'animaux. Ils semblaient étinceler.

Flippant.

Mon regard revenait sans cesse à la fille au centre du cliché. Elle se tenait légèrement en avant, comme si elle était la meneuse. Ses cheveux blonds, qui lui arrivaient à la taille, étaient retenus par un bandeau violet. Son T-shirt moulait des courbes généreuses. Juste au moment où je me disais que cette hippie était plutôt mignonne, j'ai eu une horrible révélation :

C'était la femme chauve-souris.

Quand mon téléphone s'est mis à vibrer, j'ai sursauté. Je l'ai sorti en vitesse pour consulter le message. Il venait d'Ema. Le texto était écrit en majuscules pressantes : **1 VOITURE ARRIVE ! SORS !**

J'ai reposé la photo sur la cheminée et suis reparti vers la cuisine. J'avançais courbé, rampant presque sur le lino sale, façon commando. Arrivé au mur, je me suis redressé doucement et j'ai jeté un coup d'œil par la fenêtre. Dans le bois, le nuage de poussière retombait.

J'ai vu la voiture.

Une berline noire, aux vitres teintées. Elle s'était arrêtée devant le garage de la femme chauve-souris. J'ai attendu, sans trop savoir quoi faire. Puis la portière côté passager s'est ouverte.

Pendant un instant, il ne s'est rien passé. J'ai regardé à gauche, puis à droite, tentant d'apercevoir

Ema. Là ! Elle essayait de se dissimuler derrière un arbre. Elle a pointé le doigt sur ma droite. Quoi ? J'ai haussé les épaules pour lui faire signe de s'expliquer. Elle a agité la main de plus belle. J'ai regardé dans cette direction.

La porte de la cuisine était restée ouverte !

Je me suis baissé et j'ai tendu la jambe. Du bout du pied, j'ai claqué la porte, mais elle s'est rouverte en grinçant dans le silence. J'ai réessayé, sans plus de succès. La serrure était cassée. Je n'ai pu que pousser doucement la porte.

J'ai risqué un nouveau coup d'œil par la fenêtre. Ema m'a lancé un regard noir, puis s'est mise à pianoter sur son portable. **Ta pa compris ? Ya 1 voiture ! Grouille, andouille !**

Je n'ai pas bougé. Pas encore. Pour commencer, je ne savais pas dans quelle direction aller. Je ne pouvais pas ressortir par-derrière – les occupants de la voiture me verraient. Et si je m'enfuyais par la porte de devant, je risquais aussi d'attirer l'attention. Donc, je suis resté où j'étais. Les yeux braqués sur la berline, j'ai attendu.

La portière passager s'est ouverte un peu plus. J'étais toujours accroupi : seuls mon front et mes yeux dépassaient de la fenêtre. J'ai vu une chaussure toucher le sol, puis une autre. Des chaussures noires. D'homme. Une seconde plus tard, quelqu'un est sorti. Un individu au crâne rasé, vêtu d'un costume noir, les yeux dissimulés derrière des lunettes de soleil modèle aviateur. On aurait dit un garde du corps d'élite ou un type qui revenait d'un enterrement.

Qui était-ce ?

Le corps aussi raide qu'un piquet, l'homme a tourné la tête tel un robot, scrutant les environs. Son regard s'est arrêté sur l'arbre derrière lequel Ema était très mal cachée. Il a fait un pas vers elle. Ema a fermé fort les yeux, comme si elle comptait disparaître par magie. L'homme au crâne rasé a fait un pas de plus.

Pas de doute : il l'avait repérée.

Que faire ? Je devais trouver un moyen de le distraire, et vite. J'ai décidé de claquer la porte pour attirer son attention. Mais avant d'avoir pu m'exécuter, Ema a rouvert les yeux et elle est sortie de sa cachette, dans sa tenue gothique. L'homme s'est arrêté.

— Salut, a-t-elle lancé. Est-ce que vous voudriez acheter des cookies pour les scouts ?

L'homme aux lunettes d'aviateur l'a dévisagée un instant. Puis il a dit :

— Vous êtes sur une propriété privée.

Il avait une voix monocorde, sans timbre.

— Oui, je sais, désolée. Je faisais le tour du quartier et j'allais frapper à votre porte quand j'ai entendu votre voiture. Donc je me suis dit que j'allais passer par-derrière, ce serait plus simple pour vous.

Ema a ébauché un sourire. Le type n'avait pas l'air ravi du tout. Mais elle a continué sur sa lancée :

— Le gâteau qui marche le mieux, c'est le menthe-chocolat, mais on vient d'en sortir un nouveau à la confiture de lait. Personnellement, je le trouve un chouïa trop sucré, et si vous surveillez votre ligne – je sais, je n'en ai pas l'air, hein ? – je vous conseille d'essayer notre nouveau biscuit aux pépites de chocolat sans sucre.

L'homme ne la quittait pas des yeux.

— Et puis, on a toujours les vanille-caramel-noix de coco, les beurre de cacahouète et les sablés nature. Je ne veux pas vous forcer la main, mais tous vos voisins ont passé commande. Les Asselta, à côté, ils m'en ont acheté trente boîtes, et avec un petit coup de pouce de votre part, je pourrais arriver première de ma patrouille et gagner un bon d'achat de cent dollars chez American Girl...

— Fous le camp.
— Pardon ?
— Fous le camp. Tout de suite.
— OK, d'accord.
Ema a levé les mains, faisant mine de se rendre, et elle a déguerpi sans demander son reste. Je me suis reculé une seconde, soulagé. Et aussi sacrément impressionné. Quelle présence d'esprit ! Ema en sécurité, c'était mon tour de filer d'ici. J'ai jeté un nouveau coup d'œil par la fenêtre. L'homme au crâne rasé a ouvert la porte du garage. Alors que la voiture pénétrait à l'intérieur, sa tête continuait de pivoter, telle une caméra de surveillance. Soudain, il l'a tournée à gauche, et son regard a zoomé dans ma direction.

J'ai plongé au sol, hors de sa vue.

M'avait-il repéré ? Probable, vu la façon dont ses yeux s'étaient braqués sur moi, mais avec les lunettes de soleil, impossible d'en être sûr. J'ai rampé vers l'autre pièce, tout en surveillant la porte de derrière.

J'avais mon portable à la main. J'ai vite écrit à Ema : **Sava ?**

Deux secondes plus tard, elle répondait : **Ouais. GROUILLE !**

Elle avait raison. En repassant devant l'escalier, j'ai eu un frisson à la pensée de ce qu'il y avait peut-être là-haut.

Qui était ce type bizarre au costume noir et au crâne rasé ?

L'explication était sans doute simple, ai-je songé. Ça pouvait être un parent de la femme chauve-souris. Tout de noir vêtu comme ça – son neveu, peut-être ? Dans la famille chauve-souris, je venais de piocher le neveu.

J'avais presque atteint la porte. Jusqu'ici personne n'était entré. Parfait. Je me suis levé, j'ai lancé un dernier regard à la photo des années soixante et à l'étrange emblème en forme de papillon. Regardant les visages, j'ai tenté de les mémoriser pour pouvoir y repenser plus tard. Ma main a trouvé la poignée de la porte.

Et c'est alors que de la lumière est apparue derrière moi.

Je me suis figé.

Une faible lumière, mais dans cette obscurité... J'ai lentement tourné la tête.

Une lueur filtrait sous la porte menant à la cave. Il y avait quelqu'un – quelqu'un qui venait juste d'allumer en bas.

Une dizaine de pensées m'ont assailli. La plus impérieuse se résumait en un mot : COURS ! J'avais déjà vu des films d'horreur, ceux dans lesquels le débile de service entre seul dans une maison lugubre, fouine partout comme... eh bien, comme moi, pour finir avec une hache entre les deux yeux. Bien calé dans mon fauteuil du multiplex, je m'étais moqué de sa bêtise. Et voilà que je me retrouvais dans le repère de la femme chauve-souris, tandis que quelqu'un s'agitait dans la cave.

Qu'est-ce que je fichais là ?

C'était simple. Elle m'avait appelé par mon prénom et m'avait dit que mon père était en vie. Tout en sachant que ça ne pouvait pas être vrai, j'étais prêt à tout risquer, y compris ma propre sécurité, s'il existait une chance, la moindre petite chance, qu'il y ait un soupçon de vérité dans ses paroles.

Mon père me manquait tellement.

La porte de la cave paraissait étinceler. Je savais que ce scintillement était une invention de mon imagination ou un effet d'optique dû au fait que le reste de la maison était plongé dans le noir. Je n'en étais pas plus rassuré pour autant.

Immobile, j'ai tendu l'oreille. Quelqu'un se déplaçait dans la cave. Je me suis approché de la porte et j'ai entendu des voix. Deux voix. D'hommes.

Mon mobile s'est remis à vibrer. Ema : **SORS DE LÀ !**

Une partie de moi voulait rester. Ouvrir la porte de la cave et... et advienne que pourra. Mais une autre – peut-être ma part animale, celle qui avait des millions d'années et se fiait à son instinct de survie – m'en empêchait. Le primitif en moi regardait cette porte étincelante et sentait le danger.

Un sérieux danger.

J'ai retraversé la maison, ouvert la porte de devant et j'ai filé en courant.

4

J'ai retrouvé Ema trois cents mètres plus loin.

— C'était dingue ! a-t-elle dit, m'adressant son premier vrai sourire. Bon, tu veux t'introduire chez qui, maintenant ?

— Très drôle.

Malgré tout, je n'ai pas pu m'empêcher de sourire aussi. Puis je me suis carrément mis à rire.

— Qu'est-ce qui t'amuse ?

— Toi ! Vendre des cookies pour les scouts !

Son rire a retenti, mélodieux.

— Quoi, tu ne me trouves pas crédible en jeannette ?

Je l'ai regardée de haut en bas – *total look* noir, vernis à ongle compris, piercings aux arcades.

— Pas mal, ton uniforme.

— Je suis une scout gothique. Au fait. (Elle a levé son portable pour me le montrer.) J'ai relevé le numéro de la voiture. Je ne vois pas très bien à quoi ça pourra te servir, mais on ne sait jamais.

J'avais une petite idée sur la question.

— Tu peux me l'envoyer ?

Hochant la tête, Ema a pianoté sur son portable et appuyé sur Envoi.

— Bon, et qu'est-ce que tu vas faire, maintenant ? m'a-t-elle demandé.

J'ai haussé les épaules. La question était plutôt : que *pouvais-je* faire maintenant ? Inutile d'aller voir la police. Qu'est-ce que je leur dirais ? Un homme en costume noir est entré dans un garage ? Si ça se trouve, il vivait là. Et comment expliquer ma présence dans la maison ?

J'ai parlé à Ema de la photo, de l'emblème du papillon et de la lumière dans la cave.

— Ouah !

— Tu dis ça tout le temps, lui ai-je fait remarquer.

— Quoi donc ?

— Ouah !

— En fait, non. Mais quand je traîne avec toi, je ne sais pas... c'est ce qui me vient spontanément.

J'ai regardé l'heure sur mon portable. Il était temps d'aller retrouver Spoon, pour faire une petite visite des bureaux du lycée. Si je terminais la journée sans atterrir en prison, ce serait un miracle.

— Il faut que j'y aille, lui ai-je dit.

— Merci pour l'aventure.

— Merci d'avoir fait le guet.

— Mickey ?

Je me suis retourné vers elle.

— Qu'est-ce que tu comptes faire, pour la femme chauve-souris ?

— Je ne sais pas. Que veux-tu que je fasse ?

— Elle t'a dit que ton père était en vie.

— Je sais.

— On ne peut pas lâcher l'affaire.

— On ?

Ema a cligné des paupières, avant de détourner le regard. Elle avait les larmes aux yeux.

— Ça va ? lui ai-je demandé.

— Te dire un truc pareil... c'est dégueulasse. On devrait balancer des œufs pourris sur sa maison

– sauf qu'en fait, ça ne ferait qu'améliorer l'odeur. (Elle s'est essuyé le visage avec son avant-bras tatoué.) Il faut que j'y aille.

— Attends ! Tu habites où ? Tu veux que je te raccompagne ?

— Me raccompagner ? Ça, c'est la meilleure ! Tu existes pour de vrai ?

Elle s'est éloignée et, pressant le pas, a tourné au coin de la rue. J'ai bien pensé lui courir après, mais elle m'aurait ressorti son refrain sur la grosse qui avait besoin de protection. En plus, Spoon m'attendait.

Je suis retourné au bahut au pas de course et l'ai trouvé seul sur le parking, assis sur le capot d'une voiture. Je surfais encore sur ma vague d'adrénaline – autant voir où elle allait m'entraîner.

— Salut, Spoon.

— Devine quoi ? (Il a mis pied à terre.) Le maquillage préféré de Beyoncé, c'est le mascara, mais elle est allergique au parfum.

Comme il paraissait attendre une réponse, j'ai marmonné :

— Hum, intéressant.

— Je trouve aussi.

J'aurais dû le surnommer Coq-à-l'âne, au lieu de Spoon.

Il s'est dirigé vers une entrée latérale et a inséré une carte magnétique dans le lecteur. Un clic, et la porte s'est ouverte. Nous avons pénétré à l'intérieur.

Il n'existe pas de lieu plus morne et déprimant qu'un lycée la nuit. Ce bâtiment avait été construit pour accueillir la vie, le mouvement, les allées et venues incessantes des élèves, dont certains étaient sûrs d'eux, d'autres anxieux, mais qui tous essayaient de trouver leur place dans le monde. Privé de cette énergie, l'endroit ressemblait à un corps vidé de son sang.

Le bruit de nos pas résonnait dans les longs couloirs, comme si nos chaussures étaient branchées à des amplis. Sans un mot, nous nous sommes dirigés vers les bureaux de l'administration. Quand nous sommes arrivés devant la porte vitrée, Spoon avait déjà dégainé la clé.

— Si mon père l'apprend, a-t-il murmuré, je peux dire adieu à *Chantons sous la pluie*.

Comme il levait les yeux vers moi, j'aurais sans doute dû lui proposer de laisser tomber, mais je ne l'ai pas fait. Peut-être parce que j'étais désespéré. Ou alors, parce que je n'aimais pas cette comédie musicale. Il a tourné la clé dans la serrure et nous sommes entrés. Le bureau de l'accueil était tellement haut qu'on pouvait s'y accouder. D'ordinaire, trois secrétaires y travaillaient. Il était évidemment interdit aux élèves de passer derrière ; la transgression m'a procuré un petit frisson, je l'avoue.

Spoon a sorti une lampe stylo.

— Il fait sombre là-dedans, et pas question d'allumer les lumières.

J'ai hoché la tête.

Nous nous sommes arrêtés devant une porte marquée ORIENTATION. J'ai toujours trouvé l'expression extrêmement intimidante. Le dictionnaire en fournit la définition suivante : « action de donner une direction déterminée ». En bref, une décision très volontariste. Pour nous, les élèves, le mot – et ce bureau – contient un sacré enjeu. Il englobe nos perspectives universitaires, le passage à l'âge adulte, le choix d'un métier, le premier vrai boulot – bref, notre avenir.

L'orientation, c'est un peu synonyme de larguer les amarres.

Spoon a sorti une autre clé pour ouvrir la porte. Le lycée employait douze conseillers d'orientation, qui tous disposaient d'un petit bureau personnel dans cet espace. La plupart n'étaient pas verrouillés.

Nous avons pénétré dans le premier, celui d'une jeune conseillère du nom de Mme Korty. Comme la plupart des gens, elle avait laissé son ordinateur en veille pour la nuit.

Spoon m'a passé la lampe stylo et m'a fait signe de me mettre au boulot. Je me suis assis derrière le bureau. Dès que j'ai tapé sur une touche, le message suivant est apparu sur l'écran :

NOM D'UTILISATEUR :

MOT DE PASSE :

Merde ! J'ai frappé plusieurs fois la touche Entrée. Sans succès. Je me suis retourné vers Spoon en soupirant.

— Tu as une idée ?

— Le nom d'utilisateur, c'est facile, c'est son adresse e-mail. Elle s'appelle Janice Korty. Donc, c'est JKORTY@lycee.e-d-u.

— Et le mot de passe ?

Spoon a remonté ses lunettes sur son nez.

— Ça va être un problème.

J'ai essayé de réfléchir.

— Il n'y a pas de fichier papier ?

— Ils ne sont pas conservés ici. Et si Ashley est nouvelle, elle n'en a sans doute pas encore.

Je me suis calé dans le fauteuil, découragé. Puis j'ai songé à Ashley, et mes épaules se sont détendues. Je l'ai revue, jouant nerveusement avec un fil de son pull. Je me suis rappelé son parfum de fleurs sauvages, son goût de fruit quand je l'embrassais. Ça paraît débile, je sais bien, mais j'aurais pu passer une journée entière à l'embrasser sans me lasser. Pathétique, hein ? Je me suis rappelé la façon dont elle me regardait parfois, comme s'il n'y avait que moi au monde. Et cette fille-là, qui me regardait de cette manière-là, aurait disparu sans même me dire adieu ?

Ça n'avait pas de sens.

Je devais me creuser un peu plus les méninges. Mme Korty était jeune – la plus jeune conseillère d'orientation du lycée. Cette pensée m'a donné une idée.

— Qui sont les plus vieux conseillers ? ai-je demandé à Spoon.

— Pourquoi ?

— Va droit au but.

— M. Betz. Il est tellement vieux qu'il donne un cours sur Shakespeare parce qu'il l'a connu personnellement.

J'avais croisé Betz dans les couloirs : il marchait avec une canne et portait un nœud papillon.

— C'est lequel, son bureau ?

— Pourquoi ?

— Contente-toi de me le montrer, OK ?

De retour dans le couloir, Spoon a désigné un bureau d'angle, au fond. En y allant, j'ai jeté un coup d'œil sur tous les bureaux que nous avons dépassés, à la recherche de Post-it collés autour des écrans d'ordinateur. Pas de chance. Sur celui de Betz, il y avait deux serre-livres en forme d'antique mappemonde avec le porte-plumes assorti, une vieille agrafeuse Swingline et plusieurs trophées en Plexiglas.

Je me suis installé dans son fauteuil et j'ai allumé son ordinateur. Le même message s'est affiché sur l'écran :

NOM D'UTILISATEUR :
MOT DE PASSE :

Spoon a haussé les épaules.

— Tu espérais quoi ?

Exactement ça. J'ai ouvert le tiroir de droite. Stylos, crayons, trombones, une boîte d'allumettes et une pipe. Découvrant le contenu de celui du milieu, j'ai souri.

— Bingo !

— Quoi ?

Sans vouloir généraliser, les gens les plus réfractaires à l'informatique ont tendance à recourir à de bonnes vieilles notes manuscrites pour ne pas oublier des choses comme les noms d'utilisateur ou les mots de passe. Sur une petite carte blanche, Betz avait écrit :

THEATREDUGLOBE1599

Si ça, ce n'était pas un mot de passe...

— Le théâtre du Globe de Shakespeare a été construit en 1599, m'a informé Spoon. Il a été détruit dans un incendie le 29 juin 1613, rebâti en 1614, puis fermé en 1642. Une reconstruction moderne a été inaugurée en 1997.

Formidable. Betz se prénommait Richard. J'ai tapé son nom d'utilisateur, THEATREDUGLOBE1599 comme mot de passe, appuyé sur la touche Entrée et attendu. Un petit sablier s'est retourné, puis l'écran a affiché :

BIENVENUE, RICHARD

Spoon a souri. On s'est tapé dans la main. J'ai cliqué sur le lien menant aux dossiers des élèves et saisi le nom : Kent, Ashley. Quand sa photo est apparue – celle prise le jour de la rentrée pour son badge –, j'ai eu la sensation qu'on me broyait le cœur.

— Eh bien, a commenté Spoon, pas étonnant que tu aies envie de la retrouver.

Si vous conceviez un dictionnaire graphique et cherchiez à illustrer l'adjectif *réservé*, l'expression d'Ashley sur ce cliché aurait parfaitement convenu. Elle était jolie, pas de doute là-dessus, belle même, mais on la sentait surtout calme et timide, et un peu mal à l'aise face à l'objectif. Quelque chose dans son expression – en elle – m'allait droit au cœur.

Son dossier se résumait à peu de choses. Nom des parents : Patrick et Caroline Kent. Une adresse à Carmenta Terrace et un numéro de téléphone. J'ai attrapé un stylo dans le pot à crayons de Betz et trouvé un bout de papier sur le bureau.

— Tes empreintes, a dit Spoon en désignant le stylo. D'ailleurs, tu as aussi dû en laisser sur le clavier.

J'ai fait la grimace.

— Tu penses que quelqu'un va rechercher des empreintes ?

— C'est possible.

— Alors, je choisis de vivre dangereusement.

Après avoir griffonné l'adresse et le numéro de téléphone, j'ai survolé le reste de l'écran. Il était écrit : EN ATTENTE DE DOSSIER SCOLAIRE. Cela devait signifier que son précédent établissement ne l'avait pas encore transmis. Il y avait aussi la liste de ses cours, mais je la connaissais déjà. Rien de plus. J'ai été tenté de consulter mon propre dossier – juste par curiosité –, mais Spoon m'a fait signe de me dépêcher. Reposant le stylo à sa place, j'ai fait mine d'effacer mes empreintes et je l'ai suivi hors du bureau.

Une fois à l'air libre, j'ai regardé mon portable. Un autre message vocal de mon oncle Myron. Je l'ai ignoré. La nuit était tombée. Les étoiles étincelaient dans un ciel d'encre. C'était une nuit claire.

— Tu sais où se trouve Carmenta Terrace ? ai-je demandé à Spoon.

— Bien sûr. C'est sur mon chemin. Tu veux que je te montre ?

J'ai accepté et nous nous sommes mis en route.

Spoon marchait à ma droite. Il mesurait bien trente centimètres de moins que moi et avançait tête baissée.

— Le matin, je fais des gaufres au sucre, a-t-il déclaré.

J'ai souri.

— Je la connais celle-là.

— Ah ouais ?

— C'est l'Âne qui dit ça à Shrek.

— Tu joues au basket, a dit Spoon.

Impossible de savoir si c'était une question ou une affirmation. J'ai hoché la tête. Quand on mesure plus d'un mètre quatre-vingt-dix, on est habitué à ce genre de réflexion.

— Tu t'appelles Mickey Bolitar.

— Oui.

— Le nom Myron Bolitar est partout dans le gymnase. C'est lui qui détient presque tous les records du lycée en basket. Records de points marqués, de rebonds, de matchs gagnés.

Comme si je l'ignorais !

— C'est ton père ?

— Non, mon oncle.

— Ah. Notre équipe a perdu lors des finales de l'État. Les six meilleurs joueurs ont rempilé. Ils sont en terminale, cette année.

Je savais tout ça. C'était l'une des raisons pour lesquelles moi, qui n'étais qu'un misérable élève de seconde, j'avais fait profil bas. Je n'avais pas encore joué ici, préférant participer à des matchs amicaux plus stimulants à Newark.

Nous sommes passés devant un terrain de foot où s'entraînaient des gamins qui ne devaient pas avoir plus de 10 ans. Les coachs les enguirlandaient comme s'ils jouaient en première division. On prenait le sport très au sérieux dans cette ville. La première semaine, j'avais demandé à quelqu'un combien d'athlètes du lycée étaient devenus professionnels. La réponse était : un seul – mon oncle. En fait, il n'avait jamais vraiment joué au basket chez les pros. Il avait été sélectionné, mais s'était cassé le genou pendant la pré-saison. Sa carrière avait été brisée net. Myron n'avait plus jamais enfilé le maillot des Celtics. Il m'arrivait parfois d'y penser, de me demander ce qu'il avait dû ressentir et si cela expliquait la tension entre mon père et lui.

Mais je n'allais pas jusqu'à le dédouaner – c'était lui, le responsable de ce qui s'était passé entre eux. Donc, je n'avais pas de raison de lui pardonner.

— C'est par là, a dit Spoon.

L'enseigne de pierre, marquant l'entrée de ce qui ressemblait à un nouveau lotissement, portait l'inscription : Résidence Prema. Un vrai quartier de nouveaux riches. Les rues étaient bien éclairées. Les pelouses n'auraient pas pu être plus vertes à moins d'avoir recours à des bombes de peinture industrielle. Les aménagements paysagers, presque parfaits, évoquaient un spectacle trop répété. Les vastes demeures, en pierre et brique, voulaient paraître anciennes et majestueuses : raté.

Lorsque nous sommes arrivés en haut de Carmenta Terrace, j'ai cherché des yeux la maison des Kent. Et mon cœur s'est grippé.

Quatre voitures de police, gyrophares allumés, étaient garées devant. Une ambulance stationnait dans l'allée. Je me suis précipité. Quoique beaucoup plus petit que moi, Spoon me talonnait. Sur la pelouse, des policiers parlaient à quelqu'un que j'ai supposé être un voisin. Un des flics prenait des notes. Par la porte ouverte de la maison des Kent, j'ai aperçu une entrée où pendait un grand lustre et un policier en faction.

Arrivé à proximité, Spoon a ralenti l'allure. Pas moi. J'ai couru vers la porte. Le flic s'est retourné, stupéfait.

— Halte !

J'ai obtempéré.

— Que s'est-il passé ? ai-je demandé.

Spoon m'a rejoint. Le flic a froncé les sourcils, le nez, la bouche. Tout chez lui exprimait la désapprobation. Il avait le front bas façon homme de Cro-

Magnon et les sourcils qui se rejoignaient pour former une ligne. Après avoir lancé un regard noir à Spoon, il a reporté son attention sur moi.

— Et tu es ?

— Je suis un ami d'Ashley, ai-je répondu.

Il a croisé les bras sur un torse aussi dur qu'un mur de squash et poussé un énorme soupir.

— Qu'est-ce que je t'ai demandé ? La liste de tes amis ou ton identité ?

Oh, bon sang !

— Je m'appelle Mickey Bolitar.

Cette fois, les sourcils se sont haussés d'un coup.

— Tiens donc. Le fils de Myron ?

Il avait prononcé le nom de mon oncle comme s'il crachait un aliment avarié.

— Non, son neveu. Si vous pouviez seulement me dire…

— Est-ce que j'ai l'air d'un bibliothécaire ?

— Pardon ?

— Tu t'imagines que je suis là pour te renseigner ? Comme un bibliothécaire ?

J'ai lancé un coup d'œil à Spoon, qui a haussé les épaules.

— Non, je ne vous prends pas pour un bibliothécaire.

— On fait son malin ?

— Moi ? Non.

— Une grande gueule. Comme le tonton.

J'ai été tenté de répondre que je n'appréciais pas mon oncle non plus, histoire de créer une complicité entre nous. Mais quels que soient mes sentiments à l'égard de Myron, je n'allais pas trahir ma famille pour calmer Cro-Magnon.

— Monsieur le commissaire ? a demandé Spoon.

L'autre a tourné vers lui un regard mauvais.

— Quoi ?

— Vos propos sont injurieux.

Oh, non !

— Qu'est-ce que tu as dit ?

— Vous êtes fonctionnaire. Vos propos sont injurieux.

Cro-Magnon a bombé le torse jusqu'à ce qu'il soit collé au visage de Spoon. Ce dernier est resté droit dans ses bottes. Le flic a baissé la tête vers lui, les yeux plissés.

— Attends une seconde ! Je te connais, toi. On t'a arrêté l'année dernière, n'est-ce pas ? Deux fois.

— Et on m'a relâché. Deux fois.

— Ouais, je m'en souviens. Ton père a voulu nous poursuivre pour arrestation arbitraire ou un truc comme ça. Tu es le fils de ce concierge, pas vrai ?

— Exact.

— Alors, a dit Cro-Magnon avec un sourire méchant, ton père nettoie toujours les toilettes pour gagner sa vie ?

— Absolument, c'est son métier, a répondu Spoon en remontant ses lunettes. Les toilettes, les lavabos, les sols… tout ce qui a besoin d'être lavé.

Face à tant de candeur, l'autre a paru désarçonné. J'en ai profité pour intervenir.

— Écoutez, nous ne voulons pas causer d'ennuis. Je souhaitais juste m'assurer que mon amie allait bien.

Le flic s'est tourné vers moi. J'ai vu qu'il portait un badge au nom de Taylor.

— On veut jouer les héros ? Comme son oncle ? (Taylor a ostensiblement posé les mains sur ses hanches.) Dites, c'est bizarre que vous soyez tous les deux dehors si tard, un soir de semaine.

Je me suis forcé à ne pas grimacer.

— Il n'est que 20 heures.

— On recommence à faire le malin ? Bon, je ferais peut-être mieux de vous emmener, tous les deux.

— Où ça ? ai-je demandé.

Taylor a avancé son visage si près du mien que j'aurais pu lui mordre le nez.

— Qu'est-ce que tu dirais d'une cellule de garde à vue, mon petit gars ? L'idée vous plaît ?

— Non, a répondu Spoon.

— C'est pourtant là que vous allez atterrir si vous ne répondez pas à mes questions. On en a une, là-bas, à Newark, qui serait parfaite pour vous deux. Je peux aussi vous mettre dans des cellules séparées. Avec les adultes. On a un type incarcéré en ce moment, il fait deux mètres dix et a des ongles gigantesques, parce qu'il adore griffer tout ce qui lui tombe sous la main.

Il nous a adressé un grand sourire.

— Vous ne pouvez pas faire ça, a dit Spoon, déglutissant.

— Oh, tu vas pleurer ?

— Nous sommes mineurs. Si vous nous arrêtez, vous devez d'abord appeler nos parents ou notre responsable légal.

— Impossible, a rétorqué Taylor, la bouche tordue. Ton père est trop occupé à manier sa brosse pour récurer les chiottes.

— Il n'utilise pas de brosse, a déclaré Spoon. Il utilise la tête de votre mère.

Oh, bon sang !

Les yeux de Taylor se sont révulsés. Son visage a viré à l'écarlate, comme s'il faisait une attaque. Il a serré les poings. Sans se démonter, Spoon a remonté ses lunettes. J'ai cru que l'autre allait le frapper. Il l'aurait peut-être fait si une voix n'avait pas retenti :

— Dégagez le passage !

Un brancard arrivait vers nous. Un homme d'une quarantaine d'années était allongé dessus. Il avait le visage contusionné, mais semblait conscient. Des taches de sang maculaient le col de sa chemise blanche. Le père d'Ashley ? Une femme suivait, à peu près du même âge. D'une pâleur cadavéreuse, elle s'accrochait à son sac comme s'il pouvait la réconforter.

Elle s'est arrêtée, confuse.

— Qui sont ces deux-là ? a-t-elle demandé à Taylor.

— Euh, on les a trouvés en train de rôder dans les environs. On s'est dit que c'étaient peut-être les auteurs de l'agression.

L'espace d'une seconde, Mme Kent nous a dévisagés comme si nous étions des pièces d'un puzzle qu'elle ne parvenait pas à assembler.

— Ce sont des adolescents, a-t-elle déclaré.

— Oui, je sais, mais…

— Je vous ai dit qu'il s'agissait d'un homme. Au visage tatoué. Vous voyez un tatouage sur l'un des deux ?

— Je procédais seulement par élimina…

Mais la femme s'était déjà éloignée, suivant le brancard. Taylor nous fusillait du regard. Spoon a levé le pouce vers lui, comme pour le féliciter de son super boulot. Rien, dans l'expression de son visage, n'indiquait s'il se moquait de lui ou s'il était sincère. À en juger d'après la remarque sur Mme Taylor mère, j'aurais opté pour la première solution.

— Sortez d'ici, a dit Taylor.

Nous avons redescendu le chemin dallé. Les infirmiers embarquaient l'homme que je devinais être le père d'Ashley à l'arrière de l'ambulance. Un policier parlait avec Mme Kent. Deux autres discutaient à côté de nous. J'ai surpris l'expression « entré par effraction », et senti ma poitrine se serrer.

C'était maintenant ou jamais.

Je me suis précipité, avant que quiconque puisse m'arrêter.

— Madame Kent ?

Elle m'a lancé un regard interrogateur.

— Qui es-tu ?

— Je m'appelle Mickey Bolitar. Je suis un ami d'Ashley.

Elle n'a rien dit pendant une seconde.

— Que veux-tu ?

— Je voulais juste m'assurer qu'Ashley allait bien.

Quand elle a secoué la tête, j'ai senti mes genoux flageoler.

— Qui ?

— Ashley. Votre fille.

— Je n'ai pas de fille. Et je ne connais personne répondant au nom d'Ashley.

5

Ses mots m'ont paralysé.

Mme Kent est montée à l'arrière de l'ambulance. Les flics nous ont fait signe de circuler. Lorsqu'on est arrivés en bas de la Résidence Prema, Spoon et moi nous sommes séparés pour rentrer chacun chez soi. Sur le chemin, j'ai appelé le centre de désintoxication Coddington, mais on m'a répondu que ma mère était à sa séance et qu'il était trop tard pour aller la voir ou lui parler ce soir. De toute façon, elle revenait à la maison le lendemain matin.

La Ford Taurus de mon oncle était garée dans l'allée. Dès que j'ai ouvert la porte, il a appelé :

— Mickey ?

— J'ai des devoirs à faire !

Et j'ai foncé dans ma chambre au sous-sol pour l'éviter.

Pendant de longues années, et notamment quand il était au lycée, cette chambre avait été celle de Myron. Rien n'avait changé depuis cette époque. Les lambris de bois très minces tenaient avec du scotch double face. Le pouf Sacco perdait ses billes de rembourrage. Des posters aux couleurs passées de stars du basket des années soixante-dix, tels que

John « Hondo » Havlicek ou Walt « Clyde » Frazier, ornaient les murs. Si la pièce était horriblement vieillotte, j'avoue que j'adorais ces posters.

J'ai fait mes devoirs de maths. Je ne déteste pas cette matière, mais y a-t-il plus ennuyeux que des exercices d'algèbre ? J'ai lu un texte d'Oscar Wilde pour le cours d'anglais et révisé mon vocabulaire français. Après quoi, je suis allé faire cuire un steak haché sur le barbecue pour me préparer un cheeseburger. Les questions tourbillonnaient dans ma tête.

Mme Kent m'avait-elle menti ? Et si oui, pourquoi ?

Ne pouvant imaginer la moindre raison plausible, j'en arrivais aussitôt à la question suivante : *Ashley* m'avait-elle menti ? Et si oui, pourquoi ?

Aucune des justifications qui défilaient dans mon esprit n'était convaincante. Une fois mon dîner avalé, j'ai attrapé le ballon de basket, allumé les lumières extérieures et commencé à tirer des paniers. Je m'entraîne tous les jours. C'est dans ces moments-là que je réfléchis le mieux.

Le terrain, c'est mon évasion et mon paradis.

J'adore le basket. La sensation d'épuisement, la sueur qui coule, le fait de courir avec neuf autres gars et, en même temps, de se sentir merveilleusement seul. Sur le terrain, rien ne m'entrave. Je vois les choses quelques secondes avant qu'elles se produisent. J'aime anticiper le déplacement d'un coéquipier, puis envoyer une passe entre deux défenseurs. J'aime maîtriser le rebond, trouver des angles et me positionner, contrôler parfaitement le ballon. J'aime dribbler sans regarder le sol, la sensation de confiance que cela procure, presque comme si je tenais le ballon au bout d'une laisse. J'aime rattraper une passe, fixer des yeux le bord du cercle, glisser mes doigts dans les rainures, lever le ballon au-dessus de ma tête et armer le poignet quand je m'élance. J'aime la sensation du tir en plein saut, la façon dont mes doigts restent en contact avec le cuir le plus longtemps possible, puis dont je retombe lentement au sol. J'aime la courbe que décrit le ballon vers l'arceau et le bas du filet qui danse quand il fait *swish*.

Je me déplaçais autour du panier, en tirant, rattrapant la balle, changeant de position. Je me faisais mon petit film : LeBron ou Kobe, ou même Clyde et Hondo défendaient sur moi. Puis j'ai tiré mes lancers francs. Dans ma tête, le commentateur sportif a annoncé que moi, Mickey Bolitar, je venais de réussir deux lancers francs alors que mon équipe avait un point de retard, que le temps de jeu était écoulé et que c'était le septième et dernier match des finales NBA.

J'ai explosé de joie.

Je m'entraînais depuis une heure quand la porte de derrière s'est ouverte. Myron est sorti. Sans dire un mot, il s'est placé sous le panier, s'est mis à rattraper les rebonds et à me renvoyer le ballon. J'enchaînais les tirs en me déplaçant suivant un arc de cercle autour du panier, en commençant par la droite et en lançant tous les mètres, jusqu'à ce que j'arrive au coin opposé.

Myron se contentait de me faire des passes. Il comprenait le besoin de silence en ces instants-là. D'une certaine façon, ce lieu était notre sanctuaire. C'est seulement quand je lui ai fait signe que j'avais envie de souffler qu'il a parlé pour la première fois.

— On faisait ça ton père et moi, autrefois. Je tirais. Il rattrapait les rebonds.

Il faisait la même chose pour moi aussi, mais je n'avais pas envie de partager mes souvenirs avec mon oncle.

Myron avait les larmes aux yeux. Ça lui arrivait souvent. Il était trop émotif. Avec moi, il n'arrêtait pas d'essayer d'orienter la conversation vers mon père. Quand on passait devant un restaurant chinois, par exemple, il disait : « Ton père adorait leurs raviolis frits au porc. » Ou devant le terrain de base-ball des juniors : « Je me souviens du jour où ton père a fait un double automatique pour gagner un match, quand il avait 9 ans. »

Je ne répondais jamais.

— Un soir, a poursuivi Myron, on a fait une partie de H-O-R-S-E, on a tiré des paniers pendant trois heures. Tu te rends compte ? On a finalement décidé d'arrêter quand on est restés à égalité une demi-heure d'affilée. Une demi-heure. Tu aurais dû voir ça.

— Ça paraît dingue, ai-je dit du ton le plus monocorde possible.

Myron a ri.

— Petit malin, va !

— Non, vraiment, une partie de H-O-R-S-E ? Moi qui pensais que vous jouiez aux petits chevaux !

Il a rigolé de plus belle, puis s'est tu. Alors que je me dirigeais vers la porte, il m'a rappelé. Je me suis retourné.

— Je t'emmènerai chercher ta mère demain matin et je vous ramènerai ici. Ensuite, je vous laisserai tous les deux.

J'ai hoché la tête en guise de remerciement.

Myron a pris le ballon et s'est mis à tirer. C'était son échappatoire à lui aussi. Récemment, j'avais trouvé sur YouTube une vieille vidéo de sa blessure. Il portait le maillot des Boston Celtics et l'horrible short court à la mode en ce temps-là. Il venait de pivoter sur sa jambe gauche quand Burt Wesson, une grosse baraque des Washington Bullets, l'avait percuté. Sa jambe s'était retournée. Même sur la vieille vidéo, on entendait le crac.

Je l'ai observé pendant quelques secondes, le temps de remarquer des ressemblances évidentes entre nos deux façons de jouer. Je m'apprêtais à rentrer quand une pensée m'a arrêté. Après sa blessure,

Myron était devenu agent sportif. C'est comme ça que mes parents s'étaient rencontrés – Myron allait représenter la star montante du tennis Kitty Hammer, c'est-à-dire ma mère. Petit à petit, il s'était diversifié pour représenter non plus seulement des athlètes, mais aussi des artistes, des comédiens et des musiciens. Il avait été l'agent de stars du rock comme Lex Ryder, une moitié du duo HorsePower.

Ma mère connaissait les deux musiciens du groupe. Mon père aussi. Myron les avait représentés. Et leur premier album, sûrement vieux de trente ans, était posé sur la platine de la femme chauve-souris.

Je me suis retourné vers mon oncle. Cessant de lancer, il a soutenu mon regard.

— Qu'est-ce qu'il y a ?

— Qu'est-ce que tu sais sur la femme chauve-souris ? lui ai-je demandé.

— Celle de la vieille maison au croisement de Pine et Hobart Gap ?

— Oui.

— La femme chauve-souris ! Elle doit être morte depuis un bon bout de temps.

— Qu'est-ce qui te fait dire ça ?

— On parle d'elle depuis tellement longtemps, ici ! J'ai du mal à croire que les jeunes inventent encore des histoires à son propos.

— Quel genre d'histoires ?

— Autrefois, elle passait un peu pour la sorcière de la ville. On disait qu'elle kidnappait des enfants. Des gens prétendaient qu'ils l'avaient vue amener des gamins chez elle tard le soir.

— Et toi, tu l'as déjà vue ?

— Moi ? Non. (Myron a fait tourner le ballon sur ses doigts, le fixant un peu trop intensément.) Mais je crois que ton père l'a vue.

Était-ce une nouvelle tentative pour remettre mon père sur le tapis ? Non, ce n'était pas son genre. S'il avait beaucoup de défauts, mon oncle n'était pas un menteur.

— Tu peux me raconter ?

J'ai bien vu qu'il avait envie de me demander pourquoi, mais tenait à ne pas gâcher ce moment. Je lui parlais peu, et jamais de mon père. Il ne voulait pas risquer de me voir me refermer comme une huître.

— J'essaie de me souvenir..., a-t-il commencé en se frottant le menton. Ton père devait avoir 12 ans, peut-être 13, je ne sais plus. En tout cas, nous passions devant cette maison depuis toujours. Tu n'habites ici que depuis quelques semaines et tu connais déjà les bruits qui circulent. Alors, tu imagines. Un jour, quand ton père et moi étions plus jeunes – il devait avoir 7 ans et moi 12 – nous sommes rentrés à pieds après une séance de cinéma. La nuit est tombée, il s'est mis à pleuvoir, et nous avons croisé d'autres gamins, un peu plus vieux que nous. Ils nous ont couru après en criant que la femme chauve-souris allait nous attraper. Ton père était si effrayé qu'il s'est mis à pleurer.

Myron s'est interrompu, le regard dans le vague. Il luttait une fois encore contre les larmes.

— À partir de ce moment-là, ton père a eu une peur panique de cette maison. Personne n'était très rassuré, mais Brad refusait carrément de passer devant. Il faisait des cauchemars. Un jour, il est allé à une pyjama party chez un copain et s'est réveillé en pleine nuit, hurlant que la femme chauve-souris allait venir l'enlever. Tous les autres se sont moqués de lui. Tu sais comment ça se passe.

J'ai acquiescé d'un signe de tête.

— Un vendredi soir, Brad est parti traîner avec ses copains. C'est ce qu'on faisait à l'époque. On traînait dehors. Bref, la nuit tombe, ils ne savent pas quoi faire et, de fil en aiguille, ses amis le mettent au défi d'aller frapper à la porte de la fameuse maison.

Il n'avait aucune envie d'y aller, mais en même temps, il n'était pas du genre à accepter de perdre la face.

— Qu'est-ce qui s'est passé ?

— Il s'est approché de la bicoque. Elle était plongée dans le noir. Ses copains sont restés de l'autre côté de la rue. Ils s'imaginaient qu'il allait frapper puis partir en courant. Sauf qu'après avoir frappé, il ne s'est pas enfui. Ses copains ont attendu de voir si la femme chauve-souris allait ouvrir la porte. Mais ce n'est pas ce qui s'est produit. Non. Ils ont vu ton père tourner la poignée et entrer.

J'ai failli hoqueter de surprise.

— Tout seul ?

— Oui. Il a disparu à l'intérieur, et ses amis ont attendu qu'il ressorte. Ils ont attendu longtemps. Mais il n'est pas ressorti. Au bout d'un moment, ils ont pensé que Brad leur faisait une farce. Que la maison était vide et qu'il était ressorti discrètement par-derrière – qu'il tentait de les effrayer en faisant mine de ne pas revenir.

— Et ensuite ?

— L'un des vieux amis de ton père, Alan Bender, n'y a pas cru. Si bien qu'en ne le voyant pas ressortir, il a paniqué. Il a couru chez nous pour trouver de l'aide ou au moins nous prévenir. Je le vois encore arriver, à bout de souffle, les yeux exorbités. J'étais derrière en train de tirer des paniers, comme ce soir. Alan m'a dit qu'il avait vu Brad entrer dans la maison de la femme chauve-souris et qu'il n'était pas ressorti.

— Grand-père et grand-mère n'étaient pas à la maison ?

— Non, ils étaient sortis dîner au restaurant. C'était un vendredi soir. À l'époque, nous n'avions pas de portable. Donc, avec Alan, on est allés là-bas en courant. Je me suis mis à tambouriner à la porte de la femme chauve-souris, mais personne n'a répondu. Alan m'a dit qu'il avait vu ton père tourner la poignée et entrer. J'ai essayé de faire la même chose, mais la porte était verrouillée. À l'intérieur, j'ai cru entendre de la musique.

— De la musique ?

— Oui. C'était bizarre. J'ai commencé à m'inquiéter. J'ai même essayé de défoncer la porte à coups de pied, mais elle a résisté. J'ai demandé à Alan de filer chez les voisins pour appeler la police. Et au moment où Alan s'exécutait, la porte s'est ouverte et ton père est ressorti. Comme ça. Il avait l'air complètement serein. Je lui ai demandé si tout allait bien. Il m'a répondu : « Oui, bien sûr. »

— Qu'est-ce qu'il a dit d'autre ?

— Rien. C'est tout.

— Tu ne lui as pas demandé ce qu'il avait fait pendant deux heures ?

— Si, bien sûr.

— Et ?

— Il n'a jamais voulu me le dire.

J'ai senti mes cheveux se hérisser dans ma nuque.

— Jamais ?

— Non. Mais il s'est passé quelque chose ce jour-là. Quelque chose d'important.

— Qu'est-ce qui te fait dire ça ?

— Ton père était différent, après.

— Différent comment ?

— Je ne sais pas exactement. Plus réfléchi, peut-être. Plus mûr. J'ai pensé que c'était parce qu'il avait affronté ses peurs. Mais ça allait sans doute au-delà de ça. Il y a quelques semaines, ton grand-père m'a dit qu'il avait toujours su que Brad prendrait le large – qu'il était destiné à mener une vie de nomade. Je ne suis pas convaincu. Ce sentiment que ton père était fait pour vagabonder, j'ai plutôt l'impression qu'il a commencé après sa visite chez la femme chauve-souris.

6

Cette nuit-là, j'ai eu un mal fou à trouver le sommeil.

Je pensais à la femme chauve-souris. Je pensais à Ashley. Mais surtout, je pensais à ma mère, qui rentrait le lendemain. À 7 heures du matin, Myron m'a conduit au centre de désintoxication Coddington. Le trajet, de dix minutes seulement, m'a paru interminable. Une fois arrivé, j'ai sauté de la voiture avant même qu'elle soit arrêtée. Mon oncle m'a crié qu'il m'attendait dehors. J'ai fait « merci » en agitant le bras dans ma course.

L'agent de sécurité m'a salué en m'appelant par mon prénom, alors que je passais à toute vitesse devant lui. Tout le monde me connaît, ici. Je viens voir ma mère tous les jours, sauf quand le protocole de soins l'interdit.

Christine Shippee, la directrice du centre, assurait souvent la permanence à l'accueil. L'air perpétuellement renfrogné, elle dévisage les visiteurs à travers une vitre en Plexiglas. Lui adressant un signe de tête au passage, j'ai traversé le hall, qui me faisait penser à celui d'un hôtel chic, et je me suis arrêté devant l'entrée, attendant qu'elle déverrouille la porte.

Comme il ne se passait rien, je suis revenu sur mes pas.

Elle m'a contemplé une seconde.

— Bonjour, Mickey.

— Bonjour, madame Shippee.

— C'est le grand jour.

— Oui.

— Je t'ai déjà parlé des rechutes.

— Oui.

— Et je t'ai dit que les chances de replonger étaient assez élevées.

— Vous me l'avez dit plusieurs fois.

— Très bien. Elle m'a regardé par-dessus ses lunettes de lecture.) Donc, pas besoin de me répéter.

— Non.

D'un mouvement de tête, elle a désigné la porte.

— Va. Ta mère t'attend.

M'efforçant de ne pas piquer un sprint, je suis parti au petit trot dans le couloir. Quand je suis entré dans la chambre de ma mère et que je l'ai vue, j'ai souri. Elle paraissait en forme. Pendant six semaines, elle était restée enfermée dans ce centre pour suivre un programme de désintoxication : elle avait participé à des séances de thérapie individuelle et collective, fait de l'exercice et s'était nourrie correctement.

La veille du jour où Myron l'avait amenée ici, tard le soir, ma mère était allée dans un bar minable pour se faire un shoot. Grâce à mes faux papiers d'identité – oui, j'en ai de très convaincants –, j'avais pu y entrer. C'est là que je l'avais retrouvée, en compagnie d'un autre junkie, tous deux à moitié défoncés. On aurait dit deux serpillières.

À présent, son organisme avait été purgé du poison. Elle ressemblait de nouveau à ma mère.

Kitty – pour une raison que j'ignore, elle voulait que je l'appelle par son prénom, mais je ne le faisais jamais – m'a serré dans ses bras, avant de prendre mon visage entre ses mains.

— Je t'aime tellement, m'a-t-elle dit.

— Moi aussi, je t'aime.

Elle m'a fait un clin d'œil puis m'a montré la porte.

— Viens, sortons d'ici, avant qu'ils ne changent d'avis.

— Bonne idée.

Ma mère est Kitty Hammer, et si son nom vous est familier, c'est sans doute que vous êtes un passionné de tennis. À 16 ans, c'était la meilleure joueuse junior du pays. Elle était bien partie pour devenir la nouvelle Billie Jean ou la nouvelle Steffi, sauf qu'un incident avait fait dérailler sa carrière.

Elle était tombée enceinte de votre serviteur.

Leur entourage n'étant apparemment pas prêt à accepter leur relation, mes parents avaient mis les voiles. Tout le monde prédisait que leur mariage ne durerait pas. En quoi tout le monde se trompait. Mon père et ma mère ont vécu la plus fusionnelle des histoires d'amour et, en grandissant, ça me mettait même très mal à l'aise. C'était le genre d'amour fou qui rendait les gens jaloux – qui provoquait chez eux un mouvement de recul.

Autrefois, je me disais que moi aussi, je voudrais vivre la même chose, un jour. Mais plus maintenant. Le problème, avec un amour aussi absolu, c'est ce qui se passe quand on le perd. Dans une relation comme ça, deux ne font plus qu'un – si bien qu'à la mort de mon père, ma mère s'est retrouvée détruite du même coup. À l'enterrement, je l'avais vue s'effondrer, telle une marionnette dont on aurait coupé les fils, et je ne pouvais rien y faire.

Du moins avais-je appris une leçon : ce genre d'amour passionnel, digne d'un conte de fées, n'était pas pour moi. Le prix à payer était trop élevé. Et même si j'aimais beaucoup Ashley et si j'appréciais le temps passé en sa compagnie, jamais je ne me laisserais prendre à ce jeu. L'avait-elle senti ? Était-ce la raison pour laquelle elle s'était enfuie sans me prévenir ? La raison pour laquelle je devais, peut-être, arrêter de la chercher ?

Myron nous attendait à côté de sa voiture. Dire que les relations entre ma mère et lui étaient tendues serait un euphémisme. Ils se détestaient ni plus ni moins. Six semaines plus tôt, il avait menacé de lui retirer ma garde si elle n'acceptait pas de suivre une cure intensive de désintoxication.

J'ai donc été surpris de la voir s'avancer vers lui pour l'embrasser sur la joue.

— Merci.

Il s'est contenté de hocher la tête sans rien dire.

Ma mère avait toujours été d'une honnêteté absolue avec moi. Elle avait à peine 17 ans quand elle était tombée enceinte de moi, et mon père en avait 19. Myron estimait qu'elle avait piégé papa. Il l'avait insultée, allant même jusqu'à dire à son frère que le bébé - moi - n'était probablement pas de lui. Il en avait résulté une dispute épique entre eux, qui les avait séparés à jamais.

C'est ma mère qui m'avait raconté tout ça. Jamais elle n'avait pardonné à Myron ses propos. Et voilà qu'en sortant de sa cure, elle laissait le passé derrière elle, le surprenant, me surprenant : c'était peut-être le meilleur des signes.

Comme promis, mon oncle nous a déposés à la maison, avant de repartir.

— Je serai au bureau si vous avez besoin de quoi que ce soit, nous a-t-il dit. La deuxième voiture est dans le garage au cas où.

— Merci, a répondu ma mère. Merci pour tout.

Myron avait transformé le bureau du rez-de-chaussée en chambre pour elle et il occupait désormais la grande chambre du premier étage. Avant mon arrivée, il passait la plupart de ses nuits dans un célèbre immeuble de Manhattan. Maintenant que ma mère était de retour, j'espérais qu'il reprendrait ses habitudes et nous laisserait un peu d'intimité, jusqu'à ce qu'on puisse retomber sur nos pieds et trouver un logement.

Maman a presque sautillé de joie en entrant dans sa chambre. Lorsqu'elle a vu les vêtements disposés sur le lit, elle s'est tournée vers moi en souriant.

— Qu'est-ce que c'est ?

— Je t'ai acheté quelques affaires.

Ce n'était pas grand-chose. Un jean et quelques hauts que j'avais trouvés dans un grand magasin discount. Juste de quoi repartir. Elle s'est approchée et m'a pris dans ses bras.

— Tu sais quoi ? m'a-t-elle dit.

— Quoi ?

— On va s'en sortir.

Comme dans un flash, je me suis revu à 12 ans. Mes parents et moi étions au Ghana pour trois mois. Ils y travaillaient pour le refuge Abeona, une association qui s'occupait de nourrir et d'aider des enfants pauvres ou en danger. Mon père nous laissait souvent seuls pendant deux ou trois jours, pour partir en mission dans des endroits plus reculés encore. Une nuit, alors qu'il était absent, je m'étais réveillé, parcouru de frissons, atteint d'une fièvre carabinée. Je me sentais si mal que j'avais l'impression que j'allais mourir. Ma mère m'avait emmené d'urgence à l'hôpital. On m'a diagnostiqué la fièvre jaune. Hébété, délirant, j'étais persuadé que ma dernière heure était arrivée. Pendant trois jours, ma mère n'avait pas quitté mon chevet. Elle me tenait la main et me répétait que j'allais guérir, et c'est le ton de sa voix qui me faisait y croire.

Elle avait le même ton en cet instant.

— Je suis désolée, a-t-elle dit.

— Il n'y a pas de quoi.

— Ce que j'ai fait. Ce que je suis devenue...

— C'est fini.

Une chose lui échappait : elle s'était occupée de moi toute ma vie. J'étais prêt à inverser les rôles le temps nécessaire.

Elle a commencé à défaire son sac en fredonnant. Puis elle m'a posé des questions sur le lycée et le basket. J'ai répondu sans entrer dans les détails. Pour ne pas l'inquiéter, je n'ai pas mentionné Ashley, et encore moins la femme chauve-souris et son délire sur le fait que papa était en vie. Ne vous méprenez pas : j'avais envie de partager tout ça avec elle. Mais ce n'est pas le genre de chose qu'on raconte à quelqu'un qui sort d'une cure de désintoxication. Ça pouvait attendre.

Mon portable a sonné. C'était Spoon, pour la troisième fois de la matinée.

— Pourquoi tu ne réponds pas ? m'a demandé ma mère.

— C'est juste quelqu'un du lycée.

Ma mère a eu l'air contente.

— Un nouvel ami ?

— Si on veut.

— Ne sois pas impoli, Mickey. Réponds.

C'est donc ce que j'ai fait, en sortant dans le couloir.

— Allô ?

— Il n'y a que les dindons qui gloussent, a-t-il déclaré. Les dindes émettent une espèce de caquètement.

Et c'est pour ça qu'il m'avait appelé trois fois ?

— Super, Spoon, mais là, je suis un peu occupé.

— On a oublié le casier d'Ashley, a-t-il dit.

J'ai changé le portable de main.

— Et ?

— Elle a un casier, non ? Il y a peut-être un indice dedans.

Un vrai génie, ai-je pensé. Mais je ne voulais pas laisser ma mère toute seule.

— Je te rappelle, ai-je dit, avant de couper la communication.

Quand je suis retourné dans la chambre, ma mère m'a demandé :

— Qu'est-ce qu'il voulait ?

— Juste me raconter un truc qui se passe au lycée.

— Quoi ?

— Rien d'important.

— Il est huit 8 h 30, a-t-elle dit en consultant sa montre. Tu vas être en retard.

— Je pensais passer la journée avec toi.

Ma mère a arqué un sourcil.

— Et rater les cours ? Oh, je ne crois pas. Ne t'inquiète pas. J'ai plein de choses à faire. Il faut que j'aille m'acheter des vêtements et faire des courses pour préparer le dîner. Et cet après-midi, je dois repasser à Coddington pour une séance de thérapie. Allez viens, je t'emmène.

Toute protestation étant inutile, j'ai attrapé mon sac à dos et nous sommes partis. Dans la voiture, maman a choisi une radio pop et s'est mise à chantonner. D'habitude, sa façon de chanter faux mais avec enthousiasme m'exaspérait. Pas aujourd'hui. Assis à côté d'elle, j'ai fermé les yeux et me suis contenté d'écouter.

Pour la première fois depuis longtemps, je me suis laissé aller à espérer. Cette femme qui me conduisait à l'école, c'était ma mère. La junkie qu'on avait déposée au centre un mois et demi plus tôt ne l'était pas. La drogue ne l'avait pas seulement abîmée. Elle m'avait volé ma mère et l'avait transformée en quelqu'un d'autre.

Nous nous sommes arrêtés devant le lycée. Je n'avais pas envie de la quitter, mais elle m'a répété de ne pas m'inquiéter.

— Je vais passer tout de suite au supermarché, m'a-t-elle dit, et je vais nous préparer le meilleur dîner du monde.

Excellente cuisinière, ma mère avait appris à concocter tout un tas de plats exotiques durant nos années passées aux quatre coins du globe.

— Qu'est-ce que tu vas nous faire ?

Elle s'est penchée vers moi d'un air de conspiratrice :

— Des spaghettis avec des boulettes de viande.

Comme elle le savait très bien, c'était mon plat préféré. Un vrai bonheur. Elle a pris mon visage dans ses mains. Elle faisait tout le temps ça.

— Je t'aime tellement, Mickey.

J'ai failli fondre en larmes.

— Moi aussi, maman.

Alors que j'ouvrais la portière, elle m'a retenu par le bras.

— Attends. (Elle a fouillé dans son sac.) Tu vas avoir besoin d'un mot, non ? Pour ton retard ?

Elle en a vite griffonné un.

Quand je suis sorti de la voiture, elle s'est éloignée en agitant le bras. Quiconque nous aurait regardés n'aurait vu qu'une mère comme une autre déposant son fils au lycée.

7

J'ai retrouvé Spoon juste avant le déjeuner.

— Regarde ça, m'a-t-il dit.

Il m'a tendu un article qu'il avait imprimé. *Sans doute sur Beyoncé ou le cri du dindon*, ai-je pensé, mais non : c'était une brève sur la « tentative de cambriolage » survenue la veille chez les Kent. D'après la police, un homme était entré par effraction et avait commencé à saccager la maison, avant de tomber sur M. Kent. L'intrus l'avait molesté puis s'était sauvé à l'arrivée de Mme Kent. Légèrement blessé, M. Kent était ressorti de l'hôpital. Une enquête était en cours.

Je ne comprenais toujours pas. Les Kent avaient-ils une fille, oui ou non ? Il serait peut-être judicieux de retourner les voir pour en avoir le cœur net.

— Où est son casier ? m'a demandé Spoon.

Je lui ai indiqué la direction. En chemin, il a préparé la clé.

— Je vais devoir agir vite. Toi, tu te mettras devant moi pour me cacher. Je ne veux pas que tout le monde s'aperçoive que je peux ouvrir les casiers.

J'ai acquiescé. Mais dès que nous avons tourné au coin du couloir, j'ai vu que quelque chose clochait. Spoon s'est arrêté et a levé les yeux vers moi.

Le casier d'Ashley avait été forcé.

Les élèves passaient sans se soucier de nous, se dépêchant d'aller en cours ou à la cafèt'. Je m'apprêtais à inspecter l'intérieur du casier, quand j'ai senti un regard posé sur moi. Me retournant, j'ai subi l'impact silencieux de ses yeux.

C'était Rachel Caldwell.

Le constat n'a rien de révolutionnaire, mais les garçons perdent leurs moyens face à des filles vraiment sexy. Rachel aurait eu beau raconter la blague la plus nulle du monde, tous les mecs se seraient esclaffés. Un tout petit sourire d'elle suffisait à remplir la tête de n'importe quel ado de rêves qui le poursuivaient jusque dans la nuit. J'aurais aimé croire que j'étais au-dessus de ça. Pour ce que j'en savais, Rachel avait le QI d'une banane. Mais à la seconde où j'ai croisé son regard, j'ai senti ma gorge devenir toute sèche.

Elle s'est avancée vers nous.

— Salut, a-t-elle dit.

Spoon s'est léché la main, a aplati sa mèche et lui a fait les yeux doux.

— Tu savais qu'une pieuvre ne peut pas transmettre la rage ? lui a-t-il demandé.

Rachel a souri.

— Tu es mignon.

Spoon s'est pâmé : j'ai cru qu'il allait tomber à la renverse.

Elle a reporté son attention sur moi.

— Qu'est-ce que tu fais ?

Haussant les épaules, j'ai prononcé ma première phrase à l'intention de Rachel Caldwell, la bombe du bahut :

— Euh, rien.

Le retour du mec à l'aise.

Rachel a jeté un coup d'œil au casier et, un instant, j'ai cru qu'elle allait insister. Mais elle a tourné les talons. Nous l'avons regardée s'éloigner. Elle avait une de ces démarches...

— On rentre la langue ! (C'était Ema.) Ah, les hommes, franchement... de vrais gamins !

Comme Spoon se tournait vers elle et la dévisageait, elle l'a rabroué.

— C'est quoi, ton problème ?

Il s'est léché la main, a aplati sa mèche et lui a fait les yeux doux.

— Tu savais qu'une pieuvre ne peut pas transmettre la rage ?

— Berk !

— Ça a marché une fois, m'a dit Spoon. Je me disais...

— Dommage.

— Qu'est-ce que vous faites, tous les deux ? a demandé Ema.

Au lieu de répondre, j'ai ouvert le casier. Vide, comme on aurait pu s'y attendre. La cloche a sonné : nous étions en retard pour le déjeuner. On s'est dépêchés de rejoindre la cafèt'. Spoon nous a faussé compagnie quand on a pris place dans la queue. Je me suis servi deux parts de pizza au pepperoni et fromage : viande, pain, laitage et, en comptant la sauce tomate, un légume – un vrai repas équilibré. Alors que j'allais rejoindre Ema à table, on m'a interpellé de l'autre bout de la salle.

— Bolitar !

Buck et Troy me lançaient des regards hostiles en frappant leur poing dans leur paume.

Puis j'ai posé mon plateau à côté de celui d'Ema, pour le deuxième jour consécutif. De quoi faire jaser. Elle a retiré le plastique de son sandwich et demandé :

— Bon, c'est quoi, l'histoire du casier ?

Au moment où j'allais répondre, j'ai entendu quelqu'un faire des bruits de bisous dans notre dos. Buck et Troy, encore, vêtus de leurs gros blousons. Alors qu'il faisait au moins trente degrés dans la salle. À croire qu'ils dormaient avec.

— Humm, a dit Buck, c'est romantique tout plein.

— Ouais, a renchéri Troy. Deux tourtereaux assis tout seuls.

Nouveaux bruits de baisers. J'ai lancé un coup d'œil à Ema, qui s'est contenté de hausser les épaules.

— Alors, vous vous embrassez ? a dit Buck.

— Vous allez vous peloter dans la cafèt' ? a ajouté Troy.

— Non, ça, c'est plutôt votre genre à tous les deux.

Buck et Troy sont devenus rouge pivoine. Ema a réprimé un sourire. Buck a ouvert la bouche, mais j'ai levé la main pour le faire taire.

— Je sais. Je suis un homme mort.

— Tu sais rien, a éructé Troy. Tu te crois très cool, hein ? Eh ben, tu l'es pas.

— C'est bon à savoir, ai-je dit.

— Tu es nouveau ici, a déclaré Buck, alors on va te tuyauter. Tu es assis avec une loseuse.

— Ouais, une super loseuse, a insisté Troy.

J'ai mordu dans ma pizza.

— Elle t'a raconté d'où lui vient son surnom ? a demandé Buck.

J'ai lancé un regard à Ema, qui m'a fait signe de laisser courir.

— Un jour, en cours d'espagnol, avec ses fringues et son maquillage, elle se la jouait emo à mort. Et c'est une nana, hein ? Un boudin, mais quand même une nana...

J'ai failli me lever, mais Ema m'a retenu.

— ... Alors nous, l'un de nous, je crois que c'était Troy, hein, Troy, c'était toi ?

— Ouais, Buck, c'était moi.

Tous les deux ricanaient maintenant.

— Donc, sans réfléchir ni rien, en plein milieu du cours, il sort : « Ce boudin, c'est pas une emo, c'est une Ema. » Tu piges ?

— Je pige.

— Parce qu'on est en cours d'espagnol, avec tous les mots qui se terminent en o et en a, et Troy qui balance ça, Ema, paf, et c'est resté. Tu vois ?

— Vous êtes vraiment des flèches, les gars.

À ce moment-là, Spoon est arrivé et a posé son plateau de l'autre côté d'Ema. Buck et Troy n'en revenaient pas de leur veine.

— Oh, putain, toi aussi, tu t'installes là ? a dit Buck (Il a fait mine de planter un drapeau dans le sol.) Je déclare la naissance de Loserville.

Nouveaux ricanements.

— Loserville, USA, a précisé Troy.

— Au cas où on ne saurait pas dans quel pays on vit ? ai-je demandé.

Une fois encore, Ema a posé la main sur mon avant-bras.

— Eh Buck, a-t-elle dit, et si tu racontais à Mickey pourquoi on t'appelle le Petit Pisseux ?

— Quoi ? On m'a jamais appelé comme ça !

— Première nouvelle. Troy, tu ne l'as peut-être jamais entendue non plus, mais elle est véridique. Voilà, quand Buck était en CM1, il est venu chez moi à un goûter d'anniversaire.

— Je ne suis jamais allé chez toi ! Je ne sais même pas où tu habites.

— Et Bucky a eu un petit accident...

— N'importe quoi !

Troy regardait Buck d'un drôle d'air.

— Mec ?

— Elle délire ! Tu vas leur dire, espèce de...

— Il y a un problème, ici ?

C'était Mme Owens qui venait de surgir.

Tout le monde s'est tu. Puis un concert de « Non, madame » a retenti, et Buck et Troy ont disparu.

— Petit Pisseux, c'était sérieux ? ai-je demandé à Ema.

— Non, je viens de l'inventer.

Oh, décidément, j'adorais cette fille.

— Et l'histoire du goûter d'anniversaire ?

— Inventée. Tout l'épisode.

On a éclaté de rire tous les trois.

— Tu veux apprendre des trucs marrants sur Troy ? a suggéré Spoon.

— Et comment ! ai-je répondu en prenant une bouchée de pizza.

— Troy est en terminale. C'est le capitaine de l'équipe de basket.

Génial, ai-je pensé.

— Mais le plus intéressant, c'est son nom de famille.

— Qui est ?

Spoon a souri.

— Taylor.

Là, j'ai failli m'étrangler en avalant tout rond.

— Taylor ? Comme le flic qui nous a cherché des noises hier soir ?

— C'est son père, a confirmé Spoon. Le commissaire Taylor. Le chef de la police locale.

Super génial.

8

Pendant toute la journée, je me suis fait du souci pour ma mère.

Nous avons échangé quelques SMS pour s'assurer que tout allait bien. Elle paraissait avoir le moral. À la fin des cours, j'ai trouvé un coin tranquille dehors pour l'appeler. Elle a répondu à la troisième sonnerie.

— Salut, Mickey.

En entendant sa voix chantante, je me suis détendu sur-le-champ.

— Où es-tu ?

— À la maison, en train de te préparer ton dîner.

— Tout va bien ?

— Très bien, mon chéri. Je suis allée au supermarché. J'ai acheté quelques vêtements au centre commercial. J'ai même mangé un bretzel sur place. Ça peut paraître ennuyeux à mourir, mais c'était une journée merveilleuse.

— Je suis content.

— Comment s'est passé le lycée ?

— Bien. Alors, qu'est-ce que tu as envie de faire, cet après-midi ?

— J'ai une séance de thérapie au centre de 4 à 5, je te l'ai dit, non ?

— Ah, oui.

— Ce n'est pas aujourd'hui que tu vas jouer au basket ?

Elle avait raison : c'était le jour où je prenais le bus pour aller participer aux rencontres de Newark.

— D'habitude, si, mais je comptais sécher.

— Ne change pas tes plans pour moi, Mickey. Toi, tu vas jouer, moi, je vais à ma séance. Quand tu rentreras à la maison, les spaghettis seront prêts. Oh, et je prépare aussi du pain à l'ail maison. (Un autre de mes petits plaisirs – j'en avais déjà l'eau à la bouche.) Tu seras rentré à 6 heures ?

— Oui.

— Super. Je t'aime, Mickey.

Je lui ai dit que je l'aimais aussi, et nous avons raccroché.

L'arrêt de bus est situé avenue Northvale, à un petit kilomètre du lycée. La plupart des gens qui rentrent à Newark à cette heure-là sont des employés de maison épuisés, qui retournent chez eux en centre-ville après une journée de travail dans les banlieues cossues. Certains m'ont regardé bizarrement, se demandant sans doute ce qu'un adolescent blanc faisait dans le bus avec eux.

La riche et verte Kasselton ne se trouvait qu'à dix kilomètres des rues poussiéreuses de Newark, mais les deux villes paraissaient situées sur deux planètes différentes. Newark était soi-disant en pleine réhabilitation, mais s'il y avait bien des travaux par endroits, ce que je voyais surtout, c'était le délabrement. La pauvreté restait omniprésente. Mais moi, je vais là où on joue le mieux au basket. Il n'empêche que les préjugés raciaux ont la vie dure : j'étais l'un des rares Blancs à venir ici après les cours.

Les deux terrains étaient en asphalte craquelé, les cercles en métal rouillé et dépourvu de filet, les panneaux cabossés.

La première fois que j'étais venu ici, un mois plus tôt, j'avais été accueilli avec un certain scepticisme. Mais c'est ce qu'il y a de génial avec le basket : on assure ou pas. Au risque de paraître prétentieux, j'assure. Je m'attirais encore des regards en coin des habitués, on me lançait des défis parce que j'étais nouveau, mais tant mieux : ça me galvanisait.

On était au beau milieu du cinquième match quand j'ai vu quelque chose qui m'a stoppé dans mon élan.

Plus tôt dans l'après-midi, on avait fait les équipes. On jouait à cinq contre cinq. L'équipe gagnante disputait le match suivant, pendant que les perdants retournaient sur le banc. Avec ce système, chaque partie avait un enjeu. Personne ne veut rester sur la touche. Je m'étais lié d'amitié avec le meneur de jeu, Tyrell Waters, qui est en première au lycée Weequahic, l'établissement du quartier. Depuis mon arrivée, c'est le seul garçon que j'ai rencontré avec lequel je me sente à l'aise – peut-être parce qu'on ne parle pas beaucoup. On joue.

Tyrell a surpris quelques-uns des habitués en me choisissant en premier. Notre équipe a gagné les quatre premiers matchs assez facilement. Pour le cinquième, les types sur la touche se sont rapprochés du terrain afin de nous mettre la pression. J'adore jouer contre des adversaires de même niveau.

Mais c'est durant ce cinquième match que je me suis laissé déconcentrer. Ces rencontres attiraient une foule de spectateurs étonnamment nombreuse et variée. Les durs du quartier – des membres de gangs, d'après Tyrell – traînaient à quelque distance et nous surveillaient. À droite, il y avait toujours un groupe de SDF, qui applaudissaient ou huaient comme de vrais supporters, et pariaient des bouteilles sur l'issue des parties. Plus près, s'appuyant à la grille, le visage impassible, se mêlaient des entraîneurs des équipes du coin, des pères anxieux et des dénicheurs de talents envoyés par des lycées privés et même des universités. Il y avait toujours au moins un gars, et parfois plus, qui filmait les rencontres dans l'espoir de trouver un joueur prometteur.

L'espace d'une seconde, alors qu'on se replaçait en défense, j'ai lancé un regard à l'attroupement derrière le grillage. À l'extrême droite, j'ai reconnu le recruteur d'une université catholique assez réputée sur le plan sportif. Il m'avait approché la semaine précédente, mais je n'étais pas intéressé. Le père de Tyrell se trouvait à côté de lui. Enquêteur au bureau du procureur du comté d'Essex, il aimait bien parler basket et nous emmenait parfois, Tyrell et moi, prendre un milk-shake après les matchs. Et à côté de lui, le troisième en partant de la droite, en costume noir et lunettes de soleil, il y avait le chauve que j'avais vu derrière la maison de la femme chauve-souris.

Je me suis figé.

— Mickey ? (C'était Tyrell, le ballon à la main, qui se dirigeait vers l'autre bout du terrain.) Allez, vieux !

J'ai couru après lui pour aller me placer au poste bas. On menait 5 à 4. La première équipe arrivée à 10 avait gagné. On ne sifflait pas les fautes – on encaissait les contacts et on rendait la pareille. J'aurais voulu quitter le terrain maintenant, mais ça ne se fait pas dans ce genre de match. J'ai lancé un coup d'œil vers le grillage. Même si je ne distinguais pas ses yeux à cause des lunettes d'aviateur, je n'avais aucun doute sur ce que regardait le type : moi.

Je me suis positionné sur la ligne de fond et j'ai réclamé le ballon. L'adversaire qui me marquait était une armoire à glace de deux mètres. On s'est défié du regard un instant, mais je voulais terminer la partie dare-dare, avant que le chauve disparaisse.

D'un coup, je suis devenu comme possédé. Le ballon en main, je suis parti comme une fusée et j'ai effectué un bras-roulé qui est rentré directement dans le panier.

Le type de chez la femme chauve-souris regardait en silence.

Donnant un coup d'accélérateur, j'ai marqué les trois paniers suivants. Trois minutes plus tard, alors qu'on menait 9 à 4, Tyrell m'a fait une passe au poste bas. J'ai feinté un shoot, pivoté sur la gauche et effectué un tir en extension par-dessus la main tendue d'un géant d'au moins deux mètres dix. La foule a poussé des « oh ! » quand le ballon est entré dans le cercle. Fin du match. Tyrell m'a tendu son poing et on s'est fait un *check*.

— Putain de tir ! s'est-il exclamé.

— Putain de passe ! ai-je répliqué en quittant le terrain.

— Eh, où tu vas ?

— Je passe mon tour pour le prochain match !

— Tu rigoles ? C'est le dernier. On a l'occasion de faire le grand chelem.

Il devait se douter qu'il y avait un problème : je ne m'arrêtais jamais.

Le chauve aux lunettes aviateur se tenait dans la foule. En me voyant arriver, il a battu en retraite. Comme je ne voulais pas attirer l'attention en l'apostrophant, j'ai accéléré l'allure. À cause du grillage, je devais faire le tour.

Tyrell a couru derrière moi.

— Qu'est-ce qui se passe ?

— Rien. Je reviens.

Quand j'ai contourné le grillage, les SDF m'ont entouré pour me féliciter, me prodiguer des encouragements et, bien sûr, des conseils :

— Faut soigner ta main gauche, mec...

— Pivote vers l'arrière, mon vieux, c'est ça qu'il faut faire sur la ligne de fond...

— Faut sortir le cul pour bloquer le rebond, comme ça...

C'était difficile de fendre le groupe sans être impoli, mais le chauve avait presque atteint le coin de la rue. Tout en donnant l'impression de ne pas se presser, il avançait vite.

Je ne voulais pas le perdre.

— Attendez ! ai-je crié.

Il s'est arrêté, retourné et, une seconde, j'ai cru voir l'ombre d'un sourire sur son visage. Connard. J'ai faussé compagnie à mon groupe de fans poivrots et me suis précipité vers lui. Mon mouvement brusque n'est pas passé inaperçu. Du coin de l'œil, j'ai vu le père de Tyrell me suivre.

Le type avait traversé la rue, mais je le rattrapais. Je me trouvais à trente ou quarante mètres derrière lui quand la berline noire aux vitres teintées s'est arrêtée à sa hauteur.

— Stop !

J'avais crié en pure perte. Il s'est immobilisé le temps de m'adresser comme un signe de tête, l'air de dire : *Bien essayé*. Puis il s'est coulé sur le siège passager. Avant que j'aie pu faire quoi que ce soit, la voiture était hors d'atteinte.

Inutile de noter la plaque d'immatriculation : je l'avais déjà.

M. Waters m'a rattrapé.

— Ça va, Mickey ?

Il semblait soucieux.

— Tout va bien.

Apparemment, je n'ai pas été très convaincant.

— Tu veux me raconter ce qui s'est passé ?

Tyrell nous avait rejoints. Côte à côte, les épaules se touchant presque, le père et le fils me regardaient, et je me suis détesté de ressentir une bouffée de jalousie. Si j'étais reconnaissant à cet homme de s'inquiéter pour moi, je ne pouvais m'empêcher de regretter que ce ne soit pas mon père qui soit là.

— J'ai cru le reconnaître, c'est tout, ai-je dit.

Le père de Tyrell semblait toujours un peu dubitatif. Heureusement, Tyrell est intervenu :

— On a encore un match à jouer, mon vieux.

J'ai songé à ma mère, qui devait être rentrée du centre et en train de préparer le dîner.

— Il est tard. Il faut que j'attrape le bus.

— Je peux te déposer en voiture, a proposé le père de Tyrell.

— Merci, monsieur Waters, mais je ne veux pas vous obliger à faire un détour aussi long.

— Pas de problème. J'ai à faire à Kasselton. Ce sera sympathique d'avoir de la compagnie.

On a perdu le dernier match, en partie parce que je n'étais pas complètement concentré. À la fin, on s'est tous félicités. M. Waters nous attendait. Je me suis installé à l'arrière pendant que Tyrell montait devant. Son père l'a déposé devant la maison qu'ils partageaient avec sa sœur et ses deux fils, avenue Pomena, une artère boisée dans le quartier Weequahic.

— Tu viens demain ? m'a demandé Tyrell.

J'allais acquiescer, quand je me suis souvenu que ma mère, Myron et moi partions à Los Angeles le lendemain matin. Un voyage dont je me serais bien passé, même s'il était nécessaire.

— Pas demain, non.

— Dommage. On s'est bien marrés aujourd'hui.

— Oui. Merci de m'avoir choisi.

— Je t'ai uniquement choisi pour qu'on gagne, a-t-il répondu en souriant.

Avant de sortir de la voiture, Tyrell s'est penché pour embrasser son père. Une fois encore, mon cœur s'est serré. M. Waters a recommandé à son fils de ne pas oublier de faire ses devoirs.

— Oui, p'pa, a répondu Tyrell d'un ton exaspéré que j'avais moi aussi utilisé en des temps meilleurs.

Je suis passé à l'avant.

— Alors, a attaqué mon chauffeur quand on a pris l'Interstate 80, qu'est-ce qui s'est passé avec ce type chauve dans la voiture noire ?

Que répondre à ça ? Je ne voulais pas mentir, mais je ne savais pas comment lui expliquer. Impossible de raconter que j'étais entré par effraction dans une maison. Finalement, j'ai dit :

— Je me demande s'il ne me suivait pas.

— Qui est-ce ?

— Je ne sais pas.

— Aucune idée ?

— Non.

M. Waters a réfléchi une minute.

— Tu sais que je suis enquêteur pour le comté, n'est-ce pas, Mickey ?

— Oui, monsieur. C'est comme un policier ?

— Exactement pareil. J'étais à côté de ce gars pendant toute la durée des matchs. C'était la première fois que je le voyais ici. Il n'a pas bougé d'un millimètre. Il n'a pas applaudi, n'a pas crié. Il est resté là, figé dans son costume, sans dire un mot. Et même s'il portait des lunettes noires, j'ai bien vu qu'il ne te lâchait pas des yeux.

On est restés silencieux une minute. Puis il a dit quelque chose qui m'a surpris :

— Donc, pendant que vous disputiez le dernier match, j'ai pris la liberté de faire une recherche de plaque d'immatriculation.

— Vous parlez de la voiture noire ?

— Oui. Et le truc étrange c'est qu'elle n'est pas enregistrée dans le système.

— Qu'est-ce que ça veut dire ?

— Information confidentielle.

— Vous voulez dire, comme pour les voitures diplomatiques ou autre.

— Ou autre, en effet.

— Donc, ça signifie quoi, exactement ?

M. Waters s'est garé devant la maison de Myron et s'est tourné vers moi.

— Tu veux la vérité ? Je ne sais pas, Mickey. Mais ça ne me dit rien qui vaille. Fais attention, d'accord ?

— D'accord.

— Et si tu revois ce type, n'essaie pas de lui courir après. Appelle-moi.

Il a fouillé dans son portefeuille pour prendre sa carte, qu'il m'a tendue. JOSHUA WATERS ENQUÊTEUR DU COMTÉ D'ESSEX. Avec un numéro de téléphone en bas. Je l'ai remercié et suis sorti de la voiture, agitant le bras pendant qu'il démarrait. En remontant l'allée, j'ai cru sentir une odeur de pain à l'ail, mais c'était peut-être mon imagination.

— Maman ! ai-je appelé dès que j'ai ouvert la porte.

Pas de réponse.

— Je suis là ! ai-je crié un peu plus fort. Maman ?

Toujours le silence. J'ai pénétré dans la cuisine. Il n'y avait rien sur le feu. Aucune odeur d'ail. 6 heures : ma mère n'était peut-être pas rentrée de sa séance de thérapie. J'ai ouvert le frigo pour prendre à boire, et l'ai trouvé vide.

Ne m'avait-elle pas dit qu'elle était allée faire des courses ?

Ma respiration s'est un peu emballée. Je l'ai appelée sur son portable. Pas de réponse non plus. J'ai raccroché à la cinquième sonnerie.

OK, Mickey, reste calme.

Impossible. Mes mains se sont mises à trembler. Quand mon portable a vibré, j'ai ressenti un immense soulagement. Mais c'était Spoon, et non ma mère. Commençant à paniquer, je l'ai ignoré et j'ai composé le numéro du centre Coddington. J'ai demandé à parler à Christine Shippee.

— Ma mère est encore là ? lui ai-je demandé.

— Qu'est-ce que tu racontes ? Pourquoi ta mère serait-elle ici ?

— Elle n'avait pas une séance de thérapie ?

— Non.

C'était comme un coup à l'estomac. Christine Shippee a repris :

— Qu'est-ce qui s'est passé, Mickey ? Où est-elle ?

Pour vous donner une idée de l'étendue de ma bêtise : je suis même sorti de la maison, dans l'espoir de voir ma mère arriver. Tant d'émotions ricochaient dans ma tête ! Je voulais juste qu'elles s'arrêtent. Je voulais ne plus rien sentir, plus rien du tout. Puis je me suis rendu compte que c'était exactement ce que ma mère recherchait. Et voyez où ça l'a menée.

Je l'ai rappelée, attendant cette fois de tomber sur la messagerie. « Salut, c'est Kitty. Laissez-moi un message après le bip. »

Tentant de ne pas paraître trop larmoyant, j'ai dit :

— Maman ? Rappelle-moi, s'il te plaît, d'accord ? S'il te plaît.

Je n'ai pas pleuré. Mais c'était tout juste. Pendant un moment, je suis resté là à contempler mon portable, l'exhortant à sonner. J'en avais pourtant assez d'espérer en vain. Je devais regarder la réalité en face.

J'ai repensé au sourire de ma mère, ce matin. Son organisme était débarrassé du poison depuis six semaines, et nous étions pleins d'espoir tous les deux. Je n'avais aucune envie de faire ça, mais je n'avais pas le choix.

Pour la première fois, j'ai appelé Myron.

Il a répondu sur-le-champ.

— Mickey ?

— Je n'arrive pas à trouver ma mère.

— OK. (C'était presque comme s'il avait attendu ce coup de fil.) Je m'en occupe.

— Comment ça, tu t'en occupes ? Tu sais où elle est ?

— Je peux le savoir dans quelques minutes.

J'aurais voulu lui demander comment, mais le temps pressait.

— Je veux venir avec toi.

— Je ne crois pas que ce soit une bonne idée. Laisse-moi m'en occuper…

— Myron ? Arrête de jouer les protecteurs. Pas là. Pas quand il s'agit de ma mère.

Un bref silence, puis :

— Je passe te prendre.

9

Les Anneaux de Saturne était un motel situé sous un viaduc de la route 22. Une enseigne au néon annonçait des tarifs à l'heure, la Wifi gratuite et la télévision couleur – à croire que leurs concurrents n'offraient que du noir et blanc. Comme son nom l'indiquait, le bâtiment était rond, mais ce n'était pas ce qu'on remarquait en premier. Ce qui sautait aux yeux, c'était la saleté. Miteux et cradingue, ce motel donnait envie de se plonger tout entier dans une bouteille géante de désinfectant.

La Ford Taurus de Myron – celle que maman conduisait quand elle m'avait déposé au lycée dix heures plus tôt, celle dans laquelle elle avait chanté et m'avait écrit un mot d'excuse – était garée sur le parking. Myron avait installé un GPS dessus. Peut-être craignait-il une histoire de ce genre.

Pendant un moment, on est restés là, à regarder la Taurus en silence. Des femmes en tenue aguicheuse nous ont tourné autour, vacillant sur des talons trop hauts. Elles avaient les yeux caves et les joues creuses, comme si la mort les avait déjà désignées.

Je respirais par à-coups.

— Pas moyen de te convaincre de rester dans la voiture ? a demandé Myron.

Sans prendre la peine de répondre, je suis descendu du véhicule. Comment savoir dans quelle chambre se trouvait ma mère ? Facile, en fait. Une fois dans le hall de réception, tout juste assez grand pour contenir un distributeur automatique de boissons, Myron a tendu un billet de cent dollars au type derrière le comptoir. Le gars, vêtu d'un débardeur qui couvrait à peine son énorme bide, a empoché l'argent, roté, et dit :

— Chambre 212, anneau C.

Alors que nous nous dirigions vers la chambre, j'ai fait taire le faible espoir qui me restait. Je me demandais : pourquoi ? Moins d'un an plus tôt, nous étions une famille heureuse, sans souci, qui considérait que ce bonheur allait de soi. Cette pensée-là aussi, je l'ai écartée. Assez de lamentations.

Arrivés devant la porte, nous avons échangé un regard, Myron et moi. Comme il hésitait, j'ai pris l'initiative et frappé. Pas de réponse. J'ai collé l'oreille au battant. Aucun bruit.

Mon oncle est allé chercher la femme de ménage de l'étage. Il lui en a coûté vingt dollars supplémentaires pour se faire ouvrir la porte. La pièce était plongée dans le noir. Myron a ouvert les rideaux. En découvrant ma mère, affalée sur le lit, j'ai eu très envie de fermer les yeux ou de partir en courant.

Rien n'est beau à voir chez un junkie.

Je me suis approché du lit, je l'ai secouée doucement par l'épaule.

— Maman ?

— Je suis désolée, Mickey. (Elle s'est mise à pleurer.) Je suis tellement désolée.

— Ça va aller.

— Ne me déteste pas, s'il te plaît.

— Jamais, lui ai-je dit. Jamais je ne pourrai te détester.

Nous l'avons ramenée au centre de désintoxication. Christine Shippee, qui nous attendait dans le hall, a pris ma mère par la main pour lui faire franchir la porte de sécurité. Les reniflements pathétiques de maman ont cessé quand le battant s'est refermé. Je me suis tourné vers Myron. S'il y avait de la pitié dans ses yeux, c'était le dégoût qui dominait.

Quelques minutes plus tard, la directrice est revenue, de sa démarche pleine d'autorité. Avant, cette assurance me donnait confiance. Plus maintenant.

— Kitty ne pourra pas recevoir de visites pendant les trois prochaines semaines, a-t-elle annoncé.

Ça ne me plaisait pas.

— Même pas moi ?

— Aucune visite, Mickey. Même pas toi.

— Trois semaines ?

— Minimum.

— C'est de la folie.

— On sait ce qu'on fait, a assuré Christine Shippee.

— Je vois ça, oui, ai-je rétorqué, sarcastique.

— Mickey..., est intervenu Myron.

Mais je n'en avais pas fini.

— Vous avez fait du super boulot, la première fois.

— Il n'est pas inhabituel qu'un drogué fasse une rechute. Je t'avais averti, n'est-ce pas ?

J'ai repensé à ma mère qui me souriait, qui me disait qu'elle était à la maison en train de me préparer des spaghettis aux boulettes de viande, agrémentant même son repas imaginaire de pain à l'ail. Mensonges. Que des mensonges.

J'ai quitté le centre, la rage au ventre. Le ciel était une toile noire sans étoiles. Même la lune avait pris la tangente. J'avais envie de hurler ou de taper sur quelque chose.

Quelques minutes plus tard, Myron est sorti et a déverrouillé la voiture.

— Je suis désolé, a-t-il dit.

Je n'ai pas répondu. Il détestait ma mère et s'était douté de ce qui allait arriver. Qui sait s'il ne se réjouissait pas d'avoir eu raison. Nous avons roulé un moment en silence, puis Myron a repris :

— Si tu veux, on peut annuler le voyage à Los Angeles.

Mais à quoi bon ? Je n'avais rien à faire ici. Christine Shippee avait été catégorique : je ne reverrais pas ma mère de sitôt. En plus, mes grands-parents étaient déjà en route pour la Californie. Ils voulaient voir la tombe de leur fils.

— Pas la peine d'annuler.

Après ça, on n'a plus rien dit. Arrivé à la maison, j'ai foncé dans mon sous-sol, refermant la porte derrière moi. J'ai fait mes devoirs. Mme Friedman nous avait donné des textes sur la Révolution française à lire. Je m'y suis attelé, tentant de me concentrer autant que je le pouvais pour évacuer d'autres pensées. Normalement, je soulève des haltères quatre fois par semaine, mais comme je n'avais pas eu le temps aujourd'hui, je me suis couché par terre et lancé dans trois séries de soixante pompes. Enfin, je me sentais mieux. Après être passé sous la douche, je me suis mis au lit et j'ai tenté de bouquiner, mais les mots se mêlaient en une espèce de brouillard boueux. Lumière éteinte, je suis resté immobile dans le noir.

Je ne réussirais pas à m'endormir.

Myron n'avait pas encore installé de télé en bas. J'ai envisagé de monter au salon, pour regarder une émission de sport ou n'importe quoi d'autre, mais je n'avais pas envie de croiser mon oncle. En désespoir de cause, j'ai envoyé un énième SMS à Ashley. J'ai attendu une réponse. En pure perte, bien sûr. *Et si je parlais d'elle à M. Waters ?* me suis-je demandé.

Mais pour lui dire quoi exactement ? En quête d'idées, j'ai allumé mon ordinateur portable, et cherché une fois encore des informations sur les « parents » d'Ashley. Ça ne m'a pas mené très loin. M. Kent était bien cardiologue à l'hôpital Valley. Mme Kent, comme l'avait dit Ashley, était avocate, et travaillait pour un gros cabinet de Roseland. Et alors ?

À 1 heure du matin, mon portable a vibré. Espérant, contre toute attente, que ce soit Ashley, je me suis jeté dessus. Pas de bol. C'était Ema : **Tu dors ?**

J'ai répondu que oui.

Ema : **On retourne chez la c-s demain ?**

Moi : **Pas possible. Vais à L.A.**

Ema : **Quoi faire ?**

Là, je me suis étonné en faisant quelque chose qui ne me ressemblait pas du tout. J'ai écrit la vérité : **Voir la tombe de mon père.**

Pendant cinq minutes environ, mon message est resté sans réponse. Je m'en suis voulu. Quelle idée de balancer un truc pareil ? D'accord, j'avais eu un moment de faiblesse. Cette journée avait été atroce et épuisante. Je cherchais quoi envoyer pour atténuer la brutalité de ma révélation quand un autre SMS est arrivé.

Ema : **Regarde dans le jardin derrière.**

Sortant du lit, je suis allé à la fenêtre de la buanderie, qui donnait sur l'arrière de la maison. Au loin, j'ai vu s'agiter la lumière d'un portable.

Moi : **2 sec.**

Il m'en a à peine fallu plus. J'ai enfilé un bermuda et un T-shirt, et je suis sorti dans le jardin. Sans surprise, Ema était en noir gothique, le total look vampire. Elle portait des boucles d'oreilles en forme de crâne. Son habituel clou d'argent au sourcil avait laissé place à un anneau lui aussi en argent.

Elle a fourré les mains dans ses poches et montré le panier de basket.

— Ça doit aider.

— Quoi ?

— Le basket. Le fait d'avoir une passion.

— C'est vrai. Et toi, tu en as une ?

— Une passion ? Pas vraiment. (Elle a secoué la tête.) C'est bizarre, cette histoire.

— Quoi ?

— Le fait que tu sois sympa avec moi.

J'ai soupiré.

— Tu ne vas pas recommencer avec ça.

— Je suis la grosse paria. Toi, tu es le nouveau beau mec sur lequel Rachel Caldwell a des vues.

— Rachel Caldwell ? Tu crois ?

Ema a levé les yeux au ciel.

— Pfff.

J'ai failli sourire, puis je me suis rappelé tout le reste. C'est drôle, comme on peut vite oublier ses problèmes, l'espace de quelques secondes ; comment, au milieu d'un cauchemar, on peut se prendre à rêver que tout ira bien.

— Écoute, le vrai paria, ici, c'est moi. Je suis nouveau, mon père est mort et ma mère est une junkie.

— Ta mère est une junkie ?

Nouvel aveu. J'ai fermé les yeux. Quand je les ai rouverts, Ema s'était rapprochée un peu. Elle me contemplait d'un air très doux.

— Épargne-moi le regard de pitié, s'il te plaît.

Elle a ignoré mon petit éclat.

— Raconte-moi, pour ta mère.

Et c'est ce que j'ai fait – ne me demandez pas pourquoi. Peut-être parce que je n'avais jamais eu d'amie comme elle. Ce serait l'explication la plus simple. Elle savait que j'avais des soucis, et là, à 1 heure du matin, elle avait estimé important d'être avec moi. Mais je pense que c'était plus profond que ça. Ema avait une sensibilité particulière. Elle comprenait les choses. C'était comme si elle connaissait déjà les réponses, mais voulait seulement m'aider à me sentir mieux.

Donc je lui ai dit. Tout. Quand j'ai eu fini, elle a secoué la tête.

— Du pain à l'ail. Dingue.

Vous voyez, quand je disais qu'elle comprenait ?

— Tu dois être en colère.

J'ai secoué la tête.

— Ce n'est pas sa faute.

— À d'autres. Tu sais ce que c'est, un facilitateur ?

Je le savais : c'est quelqu'un qui aide une personne qu'elle aime à agir de manière destructrice. D'un certain côté, Ema n'avait pas complètement tort. Je cherchais des excuses à ma mère. Mais comment lui faire comprendre... ?

— Si elle ne m'avait pas eu, ai-je dit lentement, ma mère aurait été une des meilleures joueuses de tennis du monde. Elle serait riche et célèbre. Au lieu de ça, elle se retrouve veuve, droguée et elle n'a plus rien.

— Elle n'a pas rien puisqu'elle t'a, toi.

J'ai écarté sa remarque d'un geste : si j'ouvrais la bouche, j'avais peur que ma voix se brise.

Ema n'a pas insisté. Une fois encore, elle comprenait intuitivement que ce n'était pas la chose à faire. Pendant un petit moment, on est restés assis là-dehors, en silence. Il était presque 2 heures du matin.

— Tes parents ne vont pas s'inquiéter pour toi ? ai-je demandé.

Son visage s'est fermé comme une porte d'acier.

— Non.

Cette fois, c'est moi qui n'ai pas insisté. Quelques minutes plus tard, on s'est dit bonsoir. Comme la veille, je lui ai proposé de la raccompagner.

— Je suis sérieux. Il est tard. Je n'aime pas te savoir rentrer à pied toute seule. Tu habites où ?

— On en parlera une autre fois.
— Pourquoi ?
— Juste… une autre fois, d'accord ?
— D'accord… Mais promets-moi une chose.
— Quoi ?
— Tu m'envoies un SMS en arrivant.
Elle a esquissé un petit sourire et secoué la tête.
— Tu ne peux pas exister pour de vrai.
— Tu promets ou je te raccompagne.
— D'accord, a-t-elle dit avec un soupir. Je promets.

Le jardin de Myron était collé à celui des voisins. Ema est partie par là. En la regardant s'éloigner, le dos un peu voûté, je me suis demandé comment elle pouvait déjà compter autant pour moi, alors que je m'étais promis de ne me lier à personne. Lorsqu'elle a disparu dans l'obscurité, j'ai traversé le jardin pour rentrer. Le ballon de basket était resté dehors. Je l'ai ramassé et fait pivoter sur mon doigt. Le cercle était tentant… mais non, il était trop tard. Inutile de réveiller tout le quartier. Je m'approchais de la porte de derrière quand quelque chose m'a fait m'arrêter net.

Le cœur cognant dans ma poitrine, je me suis collé au mur de la maison pour ne pas être vu et j'ai reposé le ballon. Lentement, je me suis rapproché de l'angle du garage et j'ai risqué un coup d'œil vers la rue devant la maison. À environ deux cents mètres, était garée une voiture noire aux vitres teintées.

Une voiture qui ressemblait fort à celle que j'avais vue à côté du terrain de basket – et aperçue derrière la maison de la femme chauve-souris.

Qu'est-ce que je devais faire ? Certes, M. Waters m'avait dit de l'appeler si je revoyais le chauve, mais il était 2 heures du matin. Son téléphone était sûrement éteint. Et dans le cas contraire, est-ce que j'avais vraiment envie de les réveiller, lui et toute sa famille ? Sans compter que, s'il décidait de venir, la voiture serait sûrement repartie entre-temps.

Non, c'était à moi d'agir.

Je n'avais pas vraiment peur – à moins que la curiosité ne l'ait emporté sur la peur. Difficile à dire. Quand j'avais 10 ans, on avait passé un an au Brésil, dans la forêt amazonienne. Le chef de la tribu du coin, expert dans une variante locale du jujitsu, m'avait initié au combat à mains nues. Depuis lors, j'avais pratiqué les arts martiaux dans tous les endroits perdus du globe où on était allés, surtout comme un moyen de rester en forme pour le basket. Jusqu'ici, je n'avais utilisé ces techniques qu'une seule fois. Ça avait marché – presque un peu trop bien.

Quoi qu'il en soit, ça me donnait confiance en moi, peut-être à tort. J'ai donc filé vers l'arrière de la villa des Noret. Mon but était de passer ainsi d'une maison à l'autre et d'arriver à la voiture noire par-derrière. Il y avait trois maisons. Aucune raison d'atermoyer. Planqué derrière les azalées des Noret, j'ai jeté un œil dans la rue, puis foncé vers la maison des Greenhall. Ils possédaient une ferme dans le nord et n'étaient jamais chez eux.

Une minute plus tard, j'étais derrière un bosquet, à environ dix mètres de la voiture noire. D'ici, je distinguais sa plaque d'immatriculation : A30432. Sortant mon portable, j'ai comparé le numéro avec celui que m'avait envoyé Ema. C'était le même.

Le moteur de la voiture était éteint. Pour autant que je puisse voir au travers des vitres teintées, il n'y avait pas de mouvement à l'intérieur et aucun signe de vie. Si ça se trouve, elle était seulement garée là, vide.

Et maintenant ?

Devais-je m'approcher, plaquer les paumes contre la vitre et exiger des réponses ? Ça paraissait logique. Et aussi assez stupide. Devais-je rester planté là à attendre ? Pendant combien de temps ? Et si la voiture s'en allait ?

Je me tenais encore derrière mon buisson, à tenter de décider quoi faire, quand le choix a été fait pour moi. La portière côté passager s'est ouverte et l'homme chauve est sorti. Il portait toujours son costume noir et, bien qu'on soit au beau milieu de la nuit, ses lunettes de soleil.

Pendant un instant, il est resté parfaitement immobile, le dos au buisson. Puis il a lentement tourné la tête et dit :

— Mickey.

Et merde.

Comment m'avait-il repéré ? Mystère. Mais peu importait maintenant. Je me suis relevé. Il me dévisageait derrière ses lunettes, et malgré la chaleur, je vous jure que j'ai senti un courant d'air glacé.

— Tu as des questions à poser, a-t-il déclaré. (Il parlait avec un accent britannique si prononcé qu'il en paraissait ridicule. Comme s'il avait fréquenté une de ces écoles privées snobs et voulait que ça se sache.) Mais tu n'es pas encore prêt à entendre les réponses.

— Ce qui veut dire ?

— Exactement ce que je viens de dire.

— Ça ressemble aux messages qu'on trouve dans les petits gâteaux chinois.

L'ombre d'un sourire est passée sur son visage.

— Ne parle de nous à personne.

— Comme qui ?

— N'importe qui. Ton oncle, par exemple.

— Myron ? Qu'est-ce que je lui dirais ? Je ne sais rien. Qui êtes-vous ?

— Tu le sauras le moment venu.

— Quand ?

L'homme est remonté dans la voiture. Alors même qu'il ne semblait pas se dépêcher, chacun de ses mouvements était d'une rapidité et d'une fluidité presque surnaturelles.

— Attendez ! ai-je crié en me précipitant vers lui. Qui êtes-vous ? Qu'est-ce que vous faisiez dans cette maison ?

Mais il avait déjà claqué la portière. La voiture démarrait. Je me suis mis à tambouriner contre la vitre.

— Stop !

Sans réfléchir, j'ai sauté sur le capot. Comme au cinéma. Mais voilà : ce qu'on ne montre pas dans les films, c'est qu'il n'y a pas moyen de s'accrocher. J'ai cherché une prise près du pare-brise, en vain. La voiture a avancé, freiné d'un coup, et j'ai volé dans les airs.

J'ai réussi, je ne sais comment, à atterrir sur mes pieds, j'ai trébuché puis recouvré mon équilibre. Planté devant le véhicule, je les mettais au défi de me renverser. J'ai fixé le côté passager derrière le verre teinté, imaginant que le chauve et moi nous affrontions du regard. Pendant quelques secondes, il ne s'est rien passé.

— Qui êtes-vous ? ai-je répété. Qu'est-ce que vous me voulez ?

Entendant la vitre se baisser, j'ai eu la tentation de m'en approcher, mais c'était peut-être ce que le type voulait : que je m'écarte pour pouvoir se tirer.

— La femme chauve-souris m'a dit que mon père était en vie ! ai-je crié.

Et, à ma grande surprise, j'ai reçu une réponse :

— Elle n'aurait pas dû.

Mon cœur s'est arrêté.

— Il est en vie ?

Long silence.

— Est-ce que mon père est en vie ?

J'ai posé les mains sur le capot, mes doigts s'enfonçant dans le métal comme si j'allais soulever cette foutue bagnole et la secouer pour en faire sortir la réponse.

— On en reparlera, a dit le chauve.

— Arrêtez avec ces conne…

Et puis, sans prévenir, la voiture est partie à fond en marche arrière. Je suis tombé, m'écorchant les mains sur l'asphalte. Quand j'ai relevé la tête, ils avaient fait demi-tour et disparaissaient au coin de la rue.

10

Il était 2 h 15 du matin quand je suis rentré sans bruit dans la maison. Mon portable a vibré. C'était un SMS d'Ema : **Arrivée. Content ?**

Moi : **Ravi.**

Alors que je me dirigeais sur la pointe des pieds vers la porte du sous-sol, j'ai entendu des voix au premier étage. Au début, j'ai cru qu'il s'agissait de la télé, mais non, c'était la voix de Myron. L'autre – voyez-vous cela – était féminine.

Je me suis approché de l'escalier. La chambre de Myron était éteinte, mais pas le bureau. Cette pièce, comme il me l'avait dit un million de fois, était l'ancienne chambre de mon père, que les deux frères avaient partagée avant que mon oncle investisse le sous-sol. Myron me racontait souvent tous les trucs nuls qu'ils faisaient ensemble dans cette chambre – jouer à des jeux de société comme Risk ou Stratégie, échanger des cartes de base-ball, faire des matchs de basket sur mini-paniers accrochés au mur. Parfois, quand il n'y avait personne à la maison, j'allais dans cette pièce et j'essayais d'imaginer mon père, enfant. Mais rien ne me venait. Les travaux de rénovation avaient dépouillé la pièce de tout souvenir. Elle ressemblait maintenant à un cabinet de comptable.

J'ai monté sans bruit l'escalier et me suis arrêté à la porte. Myron était devant l'ordinateur, en conversation vidéo – à 2 heures du matin ?

— Je ne peux pas venir maintenant, disait-il.

— Je comprends. (Une voix de femme.) Moi non plus, je ne peux pas.

À qui Myron s'adressait-il ? Attendez – est-ce qu'il draguait en ligne ? Et aucun des deux ne voulait faire le trajet jusque chez l'autre ?

— Je sais, a répondu Myron.

— Carrie n'est pas prête.

Oh, oh ! Qui était Carrie ? Une autre femme ? Oh, dégueu !

— Alors, qu'est-ce qu'on fait ? a demandé Myron.

— Je veux que tu sois heureux, Myron.

— Toi, tu me rends heureux.

— Je sais. Et toi aussi, tu me rends heureuse. Mais nous devons peut-être regarder les choses en face.

Ils n'avaient plus du tout l'air d'inconnus en pleine séance de drague, mais plutôt de deux personnes au cœur brisé. J'ai jeté un nouveau coup d'œil dans la pièce. Myron avait la tête baissée. Sur l'écran, j'ai aperçu une femme aux cheveux noirs.

— Tu as sans doute raison, a repris mon oncle. Il faudrait se montrer réalistes. (Il a levé les yeux pour croiser ceux de son interlocutrice.) Mais pas ce soir, d'accord ?

— D'accord, a dit la femme, ajoutant de la voix la plus tendre que j'avais jamais entendue : je t'aime tellement.

— Moi aussi, je t'aime.

Je n'avais aucune idée de qui elle était. Jamais je n'avais demandé à Myron s'il avait une petite amie, principalement parce que je m'en fichais.

Quoi qu'il en soit, je me sentais mal à l'aise de les espionner de cette façon. Sans bruit, je suis redescendu dans ma chambre au sous-sol.

Une fois couché, j'ai repensé à la tristesse que j'avais perçue dans la voix de Myron et dans celle de la femme. Je me suis demandé pourquoi il ne pouvait pas être avec elle, et qui était la dénommée Carrie. Mais pas très longtemps. Le lendemain matin, on prenait l'avion direction Los Angeles, pour aller nous recueillir sur la tombe de mon père. J'avais pensé que cette idée m'empêcherait de dormir. Mais en quelques secondes, j'étais dans les bras de Morphée.

C'est vrai, je ne les connais pas encore très bien – mais pour ce que j'en sais, mes grands-parents sont les plus merveilleux du monde.

Ellen et Al Bolitar – « El-Al, comme la compagnie aérienne israélienne », dit ma grand-mère en plaisantant – nous attendaient à l'aéroport LAX. Grand-mère s'est précipitée vers nous, les bras grands ouverts, et nous a étreints comme si nous étions deux innocents venant de purger à tort une peine de prison – c'est-à-dire, comme le doit une grand-mère. Elle nous a serrés fort contre elle, puis nous a examinés des pieds à la tête pour s'assurer que tout était en ordre.

— Vous êtes tellement beaux, tous les deux, a-t-elle dit.

Je ne me sentais pas beau du tout, endimanché dans un costume de mon oncle qui ne m'allait pas.

Grand-père suivait, marchant lentement à l'aide d'une canne. Myron et moi l'avons tous deux embrassé sur la joue. Il avait subi récemment une opération à cœur ouvert et il était encore pâle et amaigri. J'ai tenté de refouler mon sentiment de culpabilité, mais comment ne pas me sentir en partie responsable de son état ? Grand-père, bien sûr, refusait de voir les choses ainsi. Au contraire, il aimait affirmer que je lui avais sauvé la vie ce jour-là. J'ai quelques doutes. Comme s'il le sentait, il m'a pressé l'épaule un peu plus fort.

Myron avait réservé une voiture de location qui nous attendait. Grand-mère et moi nous sommes installés à l'arrière. Elle me tenait la main. Elle ne m'a posé aucune question sur ma mère, alors qu'elle devait être au courant de la situation, et je lui en ai été reconnaissant.

Lorsque nous nous sommes garés sur le parking du cimetière, tout mon corps s'est mis à frissonner. Dehors, le soleil cognait.

— C'est en haut de la colline, a dit Myron. Si tu veux, papa, je peux aller emprunter un fauteuil roulant.

Grand-père a écarté sa suggestion d'un geste.

— Je vais marcher jusqu'à la tombe de mon fils.

Nous avons parcouru le chemin en silence. S'appuyant lourdement sur sa canne, grand-père ouvrait la marche. Grand-mère et moi suivions, et Myron fermait le cortège. Alors que nous nous rapprochions de la tombe de mon père, il s'est avancé à ma hauteur et m'a demandé :

— Ça va ?

— Ça va, ai-je répondu en accélérant l'allure.

La tombe n'avait pas encore de pierre tombale.

Pendant un long moment, personne n'a rien dit. Nous sommes restés là tous les quatre, à nous recueillir. Sur l'autoroute voisine, les voitures filaient, indifférentes, sans se préoccuper le moins du monde de la famille en deuil à quelques mètres de là. Soudain, grand-père s'est mis à réciter le Kaddish, la prière hébraïque des morts, de mémoire. Mes grands-parents n'étaient pas religieux, loin de là, donc ça m'a étonné. Il y a des choses qu'on fait par tradition, j'imagine, par rituel, par nécessité.

— *Yitgaddal vèitqaddash sh'meh rabba...*

Myron s'est mis à pleurer. Il était comme ça, trop émotif : le genre de type capable de verser une larme en regardant une publicité pour des cartes de vœux. Détournant le regard, je me suis efforcé de rester stoïque. Un étrange sentiment m'enveloppait. Je ne croyais pas à ce qu'avait dit la femme chauve-souris, mais ce jour-là, devant la tombe de mon père, et alors qu'il me manquait au point que j'aurais voulu m'arracher le cœur, je ne ressentais que peu d'émotion. *Pourquoi ?* me demandais-je. *Pourquoi ne suis-je pas dévasté devant cette sépulture où repose mon père ?*

Et une petite voix dans ma tête a murmuré : *Parce qu'il n'est pas ici...*

Les mains jointes, la tête baissée, grand-père a achevé la longue prière avec ces mots :

— *Alenou vè'al kol Israël, vè'imrou amen.*

Myron et grand-mère se sont joints à ce quatrième et dernier Amen. Pendant quelques minutes, aucun de nous n'a esquissé le moindre mouvement. Nous étions tous perdus dans nos pensées.

Je me suis revu, la première fois où j'étais venu dans ce cimetière, pour les obsèques de mon père. Nous étions seuls, ma mère et moi. Elle était complètement stone. Elle m'avait fait promettre de ne parler à personne de la mort de mon père, parce qu'elle craignait que mon oncle ne réclame ma garde, au prétexte qu'elle n'était pas en mesure d'assumer ses responsabilités parentales. L'écriteau provisoire qui marquait la sépulture avant l'installation de la pierre tombale était toujours là. Sur une petite carte blanche, insérée dans une enveloppe de plastique pour la protéger des intempéries, il était écrit BRAD BOLITAR à l'encre noire.

Finalement, grand-père a secoué la tête et déclaré :

— Cela ne devrait pas arriver. (Il s'est interrompu et a regardé le ciel.) Jamais un père ne devrait avoir à dire le Kaddish pour son fils.

Là-dessus, il s'est engagé sur le chemin pour redescendre la colline. Myron et grand-mère ont suivi. J'ai fait un pas vers le tas de terre retournée. Mon père, cet homme que j'avais aimé plus que tout, était enseveli là.

Et le fait que je ne le « ressente » pas ne signifiait pas qu'il n'y était pas. Les yeux braqués sur l'écriteau, je restais immobile.

— Mickey ? a appelé Myron dans mon dos.

Je n'ai pas réagi, ni répondu, parce que j'en étais incapable. Je ne pouvais plus détacher les yeux de l'écriteau. Mon monde déjà vacillant menaçait de s'écrouler pour de bon. Je voyais le nom de mon père. L'encre noire sur la petite carte blanche. Mais je voyais aussi autre chose. Un dessin. Un petit dessin dans un coin de la carte. L'emblème d'un papillon de couleur, avec ce qui ressemblait à des yeux d'animal au bout des ailes. J'avais déjà vu ce motif – dans la maison de la femme chauve-souris.

C'était le même qui ornait les T-shirts sur la vieille photographie.

À l'aéroport, au moment de nous séparer, nous avons de nouveau échangé baisers et étreintes.

— Vous venez pour Thanksgiving, nous a dit grand-mère.

Ce n'était pas une question, mais une affirmation, et je ne l'en aimais que plus pour ça. Je regrette que mes grands-parents n'aient pas joué un plus grand rôle dans ma vie jusqu'ici, mais j'imagine que mon père et ma mère avaient leurs raisons.

Mes grands-parents ont pris un avion pour rentrer en Floride ; une demi-heure plus tard, Myron et moi embarquions pour Newark. Le vol était plein. Mon oncle s'est dévoué pour prendre la place du milieu, me laissant le hublot. Nous nous sommes recroquevillés dans nos sièges. Les fauteuils d'avion ne sont pas conçus pour les gens de notre taille.

Deux petites mamies étaient installées devant nous. Leurs pieds touchaient à peine le sol, mais ça ne les a pas empêchées d'incliner leur dossier jusqu'à ce qu'ils nous rentrent dans les genoux. J'ai passé les quatre heures suivantes avec la mise en plis d'une vieille dame dans la figure.

À un moment, j'ai failli interroger Myron sur ce que j'avais entendu à 2 heures du matin. Qui était la femme aux cheveux noirs et qui était Carrie ? Mais ce genre de question aurait débouché sur une conversation plus longue et je n'étais pas d'humeur à m'épancher.

Après l'atterrissage, nous avons récupéré la voiture au parking et pris l'autoroute. Aucun de nous n'a ouvert la bouche pendant les vingt premières minutes du trajet. Quand nous avons dépassé notre sortie, j'ai fini par demander :

— Où est-ce qu'on va ?

— Tu verras, m'a répondu Myron.

Dix minutes plus tard, nous nous garions sur le parking d'un centre commercial. Myron m'a souri. J'ai regardé par la fenêtre, avant de me retourner vers lui.

— Tu m'emmènes manger une glace ?

— Allez, viens.

— C'est une blague ?

Quand nous sommes entrés dans le glacier Snow-Cap, nous avons été accueillis par une jeune femme en fauteuil roulant. Âgée d'une petite vingtaine d'années, elle arborait un sourire magnifique.

— Tiens, vous êtes revenu, a-t-elle dit à Myron. Que puis-je vous offrir ?

— Je vous confie mon neveu... Servez-lui votre fondant maison. Il faut que je voie votre père.

— Bien sûr. Il est dans l'arrière-boutique.

Myron s'y est dirigé. La jeune femme m'a tendu la main.

— Je m'appelle Kimberly.

— Mickey, ai-je répondu en lui serrant la main.

— Assieds-toi là. Je vais te préparer le fondant SnowCap.

Kimberly me l'a apporté, agrémenté de son merveilleux sourire. Je me suis demandé comment elle s'était retrouvée en fauteuil roulant, mais je n'ai évidemment pas osé l'interroger.

Le fameux fondant devait faire la taille d'une Coccinelle Volkswagen. Différents nappages dégoulinaient sur la crème chantilly qui surmontait la coupe de glace.

— On est censé manger ça tout seul ?

Elle a ri.

— On fait ce qu'on peut.

Sans exagérer, c'était la chose la plus délicieuse que quiconque ait jamais goûtée sur cette terre. Je me suis mis à manger si vite que j'ai craint une de ces migraines dues à l'overdose de glace. Apparemment, j'amusais beaucoup Kimberly.

— Pourquoi Myron voulait voir votre père ? lui ai-je demandé.

— Je crois que ton oncle a pris conscience d'une vérité universelle.

— Laquelle ?

Le sourire de Kimberly s'est effacé, et j'aurais juré sentir un souffle d'air froid dans ma nuque.

— On doit tout faire pour protéger les jeunes.

— Je ne comprends pas.

— Plus tard, tu comprendras.

— Ce qui veut dire ?

Kimberly a cligné des paupières et détourné le regard.

— Il y a seize ans, ma grande sœur a été assassinée.

Je n'ai pas su quoi répondre à ça. Finalement, j'ai demandé :

— Qu'est-ce que Myron a à voir là-dedans ?

— Pas seulement ton oncle. Ta mère avait un lien avec ce drame. Ton père aussi.

J'ai reposé ma cuillère.

— Je ne pige pas. Vous dites que mes parents sont impliqués dans...

— Non ! Tes parents ne feraient jamais de mal à personne. Jamais.

— Comment connaissez-vous mes parents ?

— Je ne les connais pas. Mais tu dois comprendre une chose, Mickey. Rien de tout cela n'est une coïncidence.

J'avais la tête qui tournait.

— Ne dis pas à Myron que nous avons parlé, d'accord ?

J'ai hoché la tête.

— Mange ta glace.

Au moment où j'enfournais une nouvelle bouchée, la porte de l'arrière-boutique s'est ouverte et Myron est apparu. Kimberly s'est penchée vers moi pour me chuchoter à l'oreille :

— Ris comme si tu venais d'entendre la meilleure blague du monde.

J'ai failli lui demander une explication, puis, allez savoir pourquoi, j'ai décidé de lui faire confiance. Cette fille me plaisait bien. Donc, j'ai obéi. Ça paraissait un peu forcé, mais elle s'est mise à rire avec moi, d'un rire communicatif, puis s'est penchée de nouveau en murmurant :

— Allez, encore un coup. On ne voudrait pas que ton oncle nous demande de quoi on parle.

Et nous avons ri de plus belle. Myron m'a regardé avec un air de chien battu, un petit sourire triste aux lèvres. Kimberly s'est éloignée dans son fauteuil. Perdu, confus, j'ai laissé mon rire s'éteindre. Je me demandais ce qu'il fallait que je fasse quand mon portable a vibré. C'était Spoon.

— Quoi de neuf ? lui ai-je demandé.

— Mickey ? (Spoon était tellement excité que, pour une fois, il est allé droit au but.) J'ai trouvé quelque chose.

— Quoi ?

— Le casier d'Ashley. Je sais qui l'a forcé.

11

Le lendemain matin, Ema, Spoon et moi nous sommes retrouvés sur le parking, avant le début des cours. On s'est assis sur le trottoir. Ema avait apporté son ordinateur portable. Spoon, lui, portait des lunettes de soleil, ainsi qu'un attaché-case, un vrai, du genre de ceux que trimballent les hommes d'affaires dans les films. Je crois que c'était la première fois que j'en voyais un comme ça. Il a composé une combinaison pour l'ouvrir. J'ai regardé à l'intérieur. Il n'y avait rien, hormis une clé USB. Il l'a sortie, avant de refermer la mallette.

— Ce que vous êtes sur le point de voir, a-t-il déclaré d'un ton théâtral en retirant brusquement ses lunettes, doit à jamais rester entre nous.

Il a tendu la clé USB à Ema, qui a soupiré.

— C'est quoi ?

— La vidéo de surveillance. Le lycée a un système de sécurité très perfectionné – dix-huit caméras qui couvrent la plupart des accès et des couloirs. Je me suis dit que personne n'aurait pris le risque de forcer ce casier en pleine journée. Il y a trop de monde. Je me suis dit aussi que ça devait être récent ; un cadenas qui pendouille comme ça aurait été signalé en quelques jours. J'ai donc utilisé ma clé pour pénétrer dans le bureau de la sécurité. Tout est conservé sur bande. J'ai trouvé la caméra 14, celle qui couvre la zone du casier d'Ashley, et j'ai visionné les films en commençant par la nuit précédant le jour où on a trouvé le casier ouvert.

— Combien de temps ça t'a pris ? ai-je demandé.

Spoon a souri.

— Très peu. Ce sont des caméras à détecteur de mouvement, donc la plupart du temps, elles ne se mettent pas en route.

Ema a inséré la clé dans le port USB de son portable. Au moment où nous nous serrions autour de l'écran, deux mains ont surgi et arraché l'ordinateur.

— Eh ! s'est récriée Ema.

— Tiens, tiens, a dit une voix grinçante que je commençais à bien connaître. Qu'est-ce qu'on a là ?

Je me suis retourné : Troy tenait l'ordinateur. L'incontournable Buck était à côté de lui, et derrière se trouvait un petit groupe de leurs copains sportifs. Ils devaient être cinq ou six. Difficile à dire : leurs blousons identiques les faisaient se fondre en une masse.

— Qu'est-ce que vous voulez, les gars ? a demandé Spoon.

— Eh bien, Arthur, a répondu Buck, on se disait qu'on te trouvait super cool et qu'on aimerait bien traîner avec toi.

— Sérieux ?

Spoon souriait jusqu'aux oreilles.

— Rends-moi mon portable, a dit Ema.

Ils l'ont ignorée. Je me suis demandé comment la jouer.

— Ouais, bien sûr qu'on veut traîner avec toi, a dit Troy à Spoon. Tu as trop le look qui tue !

Spoon a remonté ses lunettes.

— Ah bon ?

— Oui, je te regarde et je suis mort... de rire.

Troy a levé la main pour que Buck lui tape dedans. La bande des sportifs est partie d'un rire qui ressemblait davantage à un grognement. Spoon avait la tête de quelqu'un qui vient de se prendre une gifle.

Je me suis levé.

— Super drôle. Maintenant, rends-moi le portable.

Un petit sourire suffisant aux lèvres, Troy a fait un pas vers moi.

— Viens le chercher.

— Vas-y, Mickey, a dit Spoon.

— Tu veux que je t'en colle une, Arthur ? a demandé Troy.

— Je m'appelle Spoon !

— Quoi ?

— C'est mon surnom. Spoon. (Il a montré Ema.) Elle, son surnom c'est Ema. Lui... (Et là, il a pointé le doigt vers Buck.) C'est le Petit Pisseux.

— Qu'est-ce que... (Buck a viré au rouge écarlate.) Je vais te foutre une raclée !

Je suis resté entre Spoon et eux.

— Pourquoi tu ne règles pas plutôt ça avec moi ? ai-je dit.

La tête de Buck a pivoté vers moi.

— Toi aussi, tu veux mourir ?

— Non. Pour l'instant, je veux juste récupérer le portable.

— Tu le veux ? a dit Troy. (Il s'est penché si près que j'ai senti l'odeur de ses œufs brouillés du matin et il a agité le portable dans sa main droite.) Eh bien, prends-le.

Et c'est ce que j'ai fait.

Lorsque j'avais étudié les arts martiaux en Amazonie, on s'était beaucoup entraînés à saisir les armes de poing de l'adversaire. Bien sûr, les leçons s'accompagnaient toujours d'un petit laïus expliquant qu'il ne fallait jamais le faire – la fuite étant toujours une bien meilleure solution – mais au moins, en cas de nécessité, j'avais appris la technique. La clé, c'est l'effet de surprise. Si l'adversaire sait que vous allez lui saisir son arme, désolé, mais en dépit de ce qu'on voit dans les films de kung-fu, il est quasiment impossible de la récupérer sans se blesser.

Là, bien sûr, il n'y avait pas de risque de se blesser. Donc, je me suis lancé. Comme Troy ne s'y attendait pas, je me suis contenté d'arracher le portable de sa prise assez molle. J'avais un autre atout en main : mes gènes. Je n'en tire aucune fierté, puisque c'est juste le hasard de la conception. Mon père était un bon athlète, même s'il n'aimait pas le côté compétitif dans le sport. Mon oncle avait été un basketteur professionnel. Ma mère une joueuse de tennis de haut niveau. Donc, j'ai hérité de bons chromosomes des deux côtés. Je suis né avec une excellente coordination main-œil et une grande rapidité naturelle. Vous pouvez bosser autant que vous voulez, et les parents ont beau pousser tant qu'ils peuvent, ces choses-là ne s'apprennent pas vraiment.

Pendant un instant, Troy et Buck n'ont pas bougé. J'ai vite repassé l'ordinateur à Ema, sans jamais les quitter des yeux – une autre leçon qu'on m'avait inculquée. La riposte n'allait sûrement pas tarder : Troy était *le* mec en vue chez les terminales. Or moi, pauvre élève de seconde, je l'avais ridiculisé devant ses potes.

Il était sur le point de contre-attaquer quand Ema est intervenue.

— Eh, Troy ?

— Quoi ?

— Je sais pourquoi tu es tout le temps sur notre dos. (Elle a battu des cils face à lui.) Tu n'aurais pas un peu craqué pour moi, par hasard ?

— Quoi ? T'es folle ?

— Me piquer mon portable comme ça… c'est un signe. Rachel Caldwell ne s'intéresse pas à toi, mais qui sait ? Je le pourrais. Bon, si je perdais la vue et l'odorat, tu pourrais peut-être me plaire, mais…

Troy m'a attrapé par le col. Je me suis laissé faire, gardant le corps flasque comme si j'avais peur.

— Tu ferais mieux de rester en dehors de mon chemin, Bolitar. Compris ?

— Eh ! ai-je répondu, levant les mains comme en signe de reddition. C'est pas moi qui suis venu m'en prendre à tes copains.

Il n'en fallait pas plus pour Troy. Une main toujours agrippée à mon col, il a armé l'autre poing vers l'arrière. C'était un geste classique, qui marchait peut-être quand il s'attaquait à des gars comme Spoon. Mais c'était idiot. La plus courte distance entre deux points, c'est la ligne droite. Et on vise les zones sensibles – nez, gorge, entrejambe, yeux. On n'arme pas son bras en prenant tout son temps.

Plusieurs possibilités s'offraient à moi, et j'ai décidé d'opter pour celle qui ferait le moins de dégâts. Avec l'avant-bras, j'ai vite coincé la main qui me tenait le col, tout en saisissant les doigts. Puis j'ai fait un brusque mouvement de côté, pour le déséquilibrer. Il ne me restait plus qu'à lui faire un petit croche-pied – tout ça en moins d'une seconde.

Troy est tombé sur le trottoir.

Je ne savais pas ce qui arriverait ensuite, s'il serait suffisamment idiot pour tenter de se relever et de contre-attaquer ou de plonger pour m'attraper les jambes, mais j'étais prêt.

— Que se passe-t-il, ici ?

C'était Mme Owens. J'ai lâché Troy. Il s'est remis debout, avec autant de dignité que possible, me lançant un regard qui signifiait : j'étais-sur-le-point-de-te-donner-une-leçon. Je n'ai pas relevé.

— Je vous ai demandé ce qui se passait !

— Rien, a-t-on grommelé de concert.

Troy, Buck et la bande des sportifs ont disparu comme par enchantement. Owens m'a lancé un regard noir, avant de tourner les talons à son tour.

Ema m'a tapé dans le dos.

— Tu te bats avec la star des terminales. Tu envoies bouler un prof et un flic. Tu traînes avec les deux pires losers du bahut. Pour un nouveau, c'est un parcours sans faute !

Comme il restait un peu de temps avant la sonnerie, nous nous sommes serrés devant le portable. Ema a cliqué sur l'icône de la vidéo. Le couloir B du lycée est apparu sur l'écran. Je m'attendais à une image en noir et blanc, ou avec du grain, mais elle semblait en haute définition. Un homme est entré dans le champ. Ce n'était pas un prof. Ni un élève. Ni un membre du personnel.

Il avait une vraie dégaine de truand. Un pantalon qui descendait sur les fesses, un T-shirt sans manches, une barbe de trois jours, de grosses chaînes en or autour du cou. Et une pince-monseigneur à la main.

Il avait aussi le visage tatoué.

— Un tatouage sur le visage, ai-je fait remarquer en me tournant vers Spoon. Ce n'est pas ce qu'a dit Mme Kent à propos du type qui s'est introduit chez eux ?

— Oui, ça doit être le même.

Qu'est-ce que ce truand avait à voir avec Ashley ?

La vidéo n'avait pas de son, mais le silence était comme assourdissant. Le Tatoué s'est arrêté devant le casier et a arraché le cadenas avec la pince. Il a eu l'air furieux en regardant à l'intérieur. Sans doute jurait-il.

Le casier était vide.

Deux secondes plus tard, le mec repartait.

— Et voilà, a commenté Spoon.

Ema a arrêté la vidéo.

— Qu'est-ce qu'on fait ? ai-je demandé. On montre la bande aux flics ?

— Ça va pas la tête ! a protesté Spoon en remontant ses lunettes sur son nez.

— C'est probablement le type qui a agressé M. Kent. Et on a une vidéo de son visage.

— Une vidéo que j'ai volée dans le bureau de la sécurité du lycée. Comment on expliquerait ça ? Je n'ai aucune confiance dans la police. (Il s'est tourné vers Ema en bombant le torse.) Tu vois, j'ai un casier. C'est vrai que les filles craquent pour les hommes dangereux ?

— Les *hommes*, peut-être, a répondu Ema. Mais il a raison, Mickey. On ne peut pas aller voir les flics. D'abord, Spoon ici présent aurait des ennuis, et puis, tu sais qui dirige la police de la ville.

Le père de Troy Taylor. Comment l'oublier ? Non seulement j'avais un problème personnel avec le clan Taylor, mais mon oncle Myron aussi avait un contentieux avec eux.

— D'accord, on ne va pas voir les flics. Mais alors, qu'est-ce qu'on fait ?

Ema a rallumé son écran et cliqué sur une flèche. La vidéo est partie en marche arrière, au ralenti. Elle l'a soudain arrêtée puis a zoomé sur la joue du Tatoué.

— J'ai bien une idée, mais je ne garantis rien.

Spoon et moi lui avons fait signe que nous avions hâte de l'entendre.

— Je connais un tatoueur. Il s'appelle Agent. C'est lui qui m'a fait mes trucs.

— Et ?

— La communauté du tatouage est assez restreinte. Tout le monde se connaît. Ces types-là sont des artistes, et ce tatouage-là m'a l'air d'un travail très particulier. Donc, je me disais que si on montrait l'image à Agent, il pourrait peut-être nous donner le nom de l'artiste.

Spoon a hoché la tête : l'idée lui plaisait.

— OK, ai-je dit. Faisons ça.

— Il y a un problème, a repris Ema. Il n'y a pas de transport en commun qui va là-bas, et c'est trop loin pour y aller à pied. Il faut que quelqu'un nous emmène.

— T'inquiète pas pour ça, ai-je dit. Je peux nous y conduire.

— Tu n'as pas encore 16 ans.

— T'inquiète pas pour ça non plus.

Là-dessus, la cloche a sonné.

Mme Friedman nous réservait une surprise pour son cours d'histoire.

— Nous allons monter un projet sur la Révolution française, a-t-elle annoncé. Vous travaillerez en binôme. Choisissez votre partenaire s'il vous plaît.

Ne connaissant personne dans la classe, je me suis dit que j'allais attendre et me mettre avec celui ou celle qui resterait. Un grand bazar a suivi pendant que tout le monde se levait pour aller rejoindre un ou une amie, de crainte de se retrouver en plan. Tout le monde, hormis Rachel Caldwell. Elle m'a regardé en souriant. Alors même que j'étais assis, j'ai senti mes genoux se liquéfier un peu. Des gens lui tapaient sur l'épaule, l'appelaient, essayaient d'attirer son attention. Elle les ignorait et ne me quittait pas des yeux.

— Alors ? m'a-t-elle demandé.

— Alors quoi ?

Je continuais à la déconcerter par mes répliques transcendantes.

— Tu veux qu'on travaille ensemble ?

— D'accord.

Mme Friedman a tapé des mains pour obtenir l'attention générale.

— Très bien, si vous avez un partenaire, approchez votre chaise de la sienne, afin que je puisse vous distribuer votre sujet.

Ma chaise à la main, je me suis immobilisé, soudain intimidé, mais Rachel s'est décalée en me faisant signe de venir m'installer à côté d'elle. Ce que j'ai fait. Elle sentait... eh bien, elle sentait la jolie fille. Une drôle de chaleur m'a parcouru. Ma partenaire écoutait religieusement ce que disait la prof et prenait beaucoup de notes. Son cahier était parfaitement bien tenu. De mon côté, j'essayais de me concentrer – Mme Friedman était en train de nous donner nos sujets –, mais ses mots se mélangeaient dans ma tête.

Quand la sonnerie a retenti, Rachel s'est tournée vers moi.

— Quand veux-tu qu'on se voie ?

— Bientôt.

— Et pourquoi pas aujourd'hui après les cours ?

Je me suis souvenu que nous allions voir Agent, l'artiste tatoueur.

— Je ne peux pas à cette heure-là. Peut-être ce soir ?

— Ça me va. Tu m'appelles ?

— OK, d'accord.

Rachel a attendu. Je ne savais pas quoi.

— Tu n'as pas mon numéro.

— Ah, c'est vrai.

— Ça peut servir, si tu dois m'appeler.

— Effectivement, ai-je répondu d'un ton docte.

Elle a ri.

— Passe-moi ton portable.

Je le lui ai tendu, et elle a enregistré son numéro.

— Voilà. Bon, à plus tard, m'a-t-elle dit avant de quitter la salle de classe.

Cinq minutes après, j'ai rejoint Ema à la cafèt'. Elle m'a dévisagé.

— C'est quoi, ce sourire idiot ?

— Quel sourire idiot ?

Elle a froncé les sourcils sans répondre.

— J'ai appelé Agent. Il peut nous voir après les cours.

— Bien. Au fait, toi, tu n'as même pas 15 ans, si ?

— Et alors ?

— Alors, comment se fait-il que tu aies tous ces tatouages ? Je croyais qu'il fallait avoir 18 ans.

— Ou moins, si on a une autorisation de ses parents.

— Et tu l'as eue ?

— T'occupe pas de ça, m'a dit Ema, avec une pointe de tension dans la voix. Comment vas-tu nous emmener sans permis de conduire ?

— T'occupe pas de ça, ai-je dit en imitant son intonation.

Ema a mordu dans son gros sandwich, a avalé sa bouchée puis tenté de prendre un ton naturel :

— Comment s'est passé ton voyage à Los Angeles ?

— Bien. Mais quand tu es repartie l'autre nuit, j'ai revu notre ami le chauve.

Et je lui ai raconté la rencontre. Ema avait une capacité d'écoute extraordinaire : elle donnait l'impression d'être complètement concentrée sur moi, comme si le reste du monde n'existait plus. De sorte qu'il était très facile de lui parler. On ne voyait pas seulement qu'on comptait pour elle : on le sentait.

— On doit retourner chez la femme chauve-souris, a-t-elle dit quand j'ai eu fini.

— Je ne sais pas...

— Le type t'a dit de n'en parler à personne, pas vrai ?

— Oui.

— Mais tu m'en as parlé.

— Ouais. Mais toi, tu connaissais déjà leur existence, donc ce n'est pas pareil.

Elle m'a souri.
— J'aime bien ta logique.
Spoon nous a rejoints et a laissé tomber son plateau face à nous.
— Tous les jours, aux États-Unis, on construit deux cents nouvelles cellules de prison. Je ne veux pas voir mon nom sur l'une d'elles.
— Je t'ai dit qu'on n'irait pas trouver les flics, ai-je répondu.
Il s'est assis et a commencé à manger. Deux minutes plus tard, je l'ai entendu marmonner :
— Oh, j'hallucine !
Ses yeux se sont écarquillés comme s'il était témoin d'une résurrection. Je me suis retourné et j'ai vu Rachel Caldwell s'avancer vers nous. Elle tenait une assiette de petits gâteaux.
— Salut ! a-t-elle dit.
Son sourire ne se contentait pas de vous faire tourner la tête : il vous soulevait dans les airs, vous secouait dans tous les sens, avant de vous laisser retomber sur votre chaise.
Ema a croisé les bras. Spoon a demandé :
— Tu veux m'épouser ?
Rachel a éclaté de rire.
— Tu es trop mignon.
J'ai bien cru qu'il allait nous faire une syncope.
— Désolée de vous déranger, a repris Rachel, mais avec les pom-pom girls, on organise une vente de gâteaux. Un peu ridicule, hein ?
— Un peu, seulement ? a rétorqué Ema.
Je l'ai fusillée du regard.
— Enfin, mes gâteaux sont complètement ratés, si bien que personne ne les a achetés, donc je me disais que plutôt que de les jeter…
— Merci, ai-je dit.
Elle les a posés sur notre table, avant de s'éclipser timidement.
— La future ex-Mme Spoon, a dit Spoon.

J'ai croqué dans un gâteau aux pépites de chocolat.

— Pas mauvais.

Ema a levé les yeux si haut qu'on ne voyait presque plus que le blanc.

— Évidemment que tu les aimes, ses cookies. Même s'ils étaient faits avec du talc et de la sciure, tu les trouverais bons.

— Non, je t'assure, goûte.

— Sans façon.

— Tu sais, ai-je dit en mâchant un gâteau plutôt sec tout en me demandant avec quoi j'allais le faire passer, détester quelqu'un à cause de son physique, c'est un peu primaire.

— Tu as raison. Je m'en veux terriblement. Rachel doit être très malheureuse à cause de moi.

— Moi, je la trouve sympa, est intervenu Spoon.

— Tu m'étonnes, a dit Ema. (Puis elle s'est tournée vers moi.) Tu savais qu'avant, elle sortait avec ton pote Troy ?

J'ai fait la grimace.

— Euh, avant, c'est bien ce que tu as dit ?

— Et c'est moi qui suis primaire ? La reine des pom-pom girls qui sort avec le capitaine de l'équipe de basket. Il n'y a qu'une conclusion possible.

— Elle a raison, a dit Spoon. (L'air solennel, il a posé la main sur mon épaule.) Tu dois te débrouiller pour devenir capitaine.

12

Après les cours, Spoon, Ema et moi sommes passés chez Myron prendre les clés de voiture, et nous avons embarqué dans la Ford Taurus. Le souvenir de mes premières leçons de conduite avec mon père m'est revenu en mémoire. C'était en Afrique du Sud. Nous roulions dans une vieille guimbarde à boîte manuelle, et je n'arrêtais pas de noyer le moteur, ce qui faisait beaucoup rire mon père.

— Tout doux sur l'embrayage, me disait-il, mais je n'avais aucune idée de ce que ça signifiait.

Je venais d'avoir 14 ans. Lorsque nous voyagions dans certaines régions du monde, nous utilisions des papiers d'identité portant d'autres noms que les nôtres. Le permis de conduire qui se trouvait dans ma poche en ce moment avait été établi à celui de Robert Johnson. Mon père m'avait expliqué un jour qu'il valait mieux utiliser des noms courants pour les faux papiers : ils étaient très faciles à oublier, et si d'aventure quelqu'un s'avisait de les vérifier, il tomberait sur une multitude décourageante d'homonymes. Robert Johnson avait 21 ans, soit six bonnes années de plus que moi. Je ne faisais pas 21 ans, mais avec ma taille, ça passait souvent.

Plusieurs fois, j'avais demandé à mon père pourquoi nous avions besoin de ces fausses identités, mais il restait évasif sur le sujet.

— À cause de notre travail, m'avait-il répondu un jour. Nous nous faisons des ennemis.

— Mais je croyais que nous aidions les gens ?

— C'est le cas.

— Alors, pourquoi a-t-on des ennemis ?

— Quand on sauve une personne, on la sauve souvent *de* quelqu'un. Quand on fait le bien, c'est souvent parce que quelqu'un d'autre fait le mal. Tu me suis ?

— Oui.

— Et ceux qui font le mal n'ont pas peur de s'en prendre à quiconque contrecarre leurs plans.

La situation ne manquait pas d'ironie. Mon père était un travailleur humanitaire. Il avait survécu dans les endroits les plus dangereux du globe, souvent des zones de guerre, en s'opposant aux despotes et aux dictateurs. Une fois revenu à la relative sécurité des États-Unis, il était mort dans un accident de voiture en me conduisant à un match de basket.

C'était dur de ne pas avoir la rage.

— Tourne à droite, a dit Ema. C'est sur la route 46.

Alors que nous arrivions, Spoon s'est mis à rire sous cape.

— Qu'est-ce qu'il y a ? lui a demandé Ema.

— C'est le nom de la boutique du tatoueur.

— Qu'est-ce qu'il a, le nom ?

— Le Tatouage dans la peau. C'est débile. Qu'est-ce qu'on peut tatouer d'autre que la peau ? L'intérieur du ventre ?

Il a ricané de plus belle.

Ema m'a lancé un coup d'œil.

— On va le laisser dans la voiture.

J'ai acquiescé. Spoon a accepté d'être notre « guetteur ».

La première chose qui m'a surpris en entrant dans le salon de tatouage, c'est sa propreté. Moi qui m'attendais à un endroit sale et sordide, je découvrais un lieu plus stérile qu'un cabinet de médecin. Il étincelait. Les employés et les clients, en jean et T-shirt, avaient plutôt l'air de marginaux avec leurs nombreux tatouages et piercings. On se serait cru à une réunion de la famille d'Ema.

— Salut, Ema, a dit la femme à l'accueil – une authentique bikeuse.

J'ai trouvé bizarre qu'ici aussi, on la connaisse sous le nom d'Ema. Ça non plus ça ne manquait pas d'ironie. Apparemment, elle avait adopté le surnom que lui avait donné ce connard de Troy Taylor.

Nous avons trouvé Agent au fond de la boutique. Les murs étaient ornés de posters de divinités hindoues, la plupart en position de méditation. L'odeur d'encens m'a chatouillé le nez. En fond sonore, une femme répétait inlassablement « so ham », en une sorte de mantra, sur une musique douce.

Agent venait juste d'achever un immense tatouage sur le dos d'un client : un aigle dont les ailes se déployaient d'une épaule à l'autre. L'homme contemplait le résultat à l'aide de deux miroirs, comme on vérifie sa nuque chez le coiffeur.

— C'est magnifique, Agent, a-t-il dit.

Le tatoueur a joint les mains en prière.

— Ne le mouille pas pendant quinze jours. N'oublie pas de passer la crème dessus. Enfin, tu sais déjà tout ça.

— Ouais, je connais.

— Parfait. (Quand Agent nous a repérés, son visage s'est illuminé.) Ema !

Ils se sont embrassés.

— Agent, je te présente mon ami, Mickey.

Agent m'a serré la main. Il avait une poigne solide et calleuse. Ses longs cheveux roux étaient tirés en arrière et sa longue barbe était attachée avec un élastique. Naturellement, il était couvert de tatouages et de piercings.

— Ravi de te rencontrer, Mickey, m'a-t-il dit avec un peu trop d'empressement.

— Moi aussi.

— Tu as une photo du tatouage dont tu me parlais ? a-t-il demandé à Ema.

Grâce à la qualité de l'enregistrement vidéo, Ema avait pu imprimer une belle image en gros plan du tatouage. Agent l'a examinée deux secondes seulement, avant de déclarer :

— Eduardo. C'est le travail d'Eduardo, sans aucun doute possible. Il a une boutique à Newark. Vous voulez que je l'appelle pour lui demander de qui il s'agit ?

— Il vous le dirait ? ai-je demandé.

— Si je lui pose la question, oui, Eduardo me répondra, a dit Agent avec un sourire. Nous ne sommes pas des avocats. Il n'existe pas d'obligation de confidentialité entre le client et son tatoueur. Uniquement de la confiance. Tu n'es pas là par hasard, Mickey. L'univers est comme un flux ; il existe un chemin qu'il doit nécessairement emprunter.

OK, je vois le genre du mec, ai-je pensé.

— Ema est entrée dans cette boutique pour une raison donnée. Et elle a fini par me demander d'être son artiste tatoueur. Cela a conduit à ta présence ici. Tu comprends ?

Non, pensais-je, au moment même où je répondais :

— Oui, bien sûr.

— En plus, eh bien, Ema a un esprit pur. Un merveilleux chakra. Donc, si elle me dit que tu dois retrouver cet homme, c'est que tu dois le retrouver. Ce n'est pas plus compliqué que ça.

Mon amie a piqué un fard.

— Merci, Agent.

Il lui a adressé un clin d'œil. Une fois encore, je me suis demandé comment ils se connaissaient et comment, à son âge, elle pouvait avoir autant de tatouages. Mais bon, moi aussi, j'avais mes secrets.

— Attendez-moi ici, le temps que j'appelle Eduardo.

La femme continuait de psalmodier ses « so ham ». Ça commençait à me taper sur les nerfs. Par la vitrine, j'ai vu Spoon, assis dans la voiture.

— On aurait dû laisser la vitre entrouverte, a déclaré Ema. Comme avec un chien.

Ça m'a fait sourire. Devant nous, un type se faisait tatouer le poignet. L'aiguille perçait sa peau. Des larmes perlaient aux coins de ses yeux fermés. J'ai repensé à Ashley, à son collier de perles et à ses petits pulls. Comment la recherche de cette jolie fille au look très comme il faut avait pu me conduire jusqu'à un artiste tatoueur ?

Encore une ironie de la vie ?

— Et voilà ! s'est exclamé Agent en réapparaissant.

D'un moulinet du poignet, il a tendu à Ema un morceau de papier sur lequel était écrit « Antoine LeMaire », suivi d'une adresse à Newark.

— Merci, Agent.

— Ouais, merci, ai-je renchéri.

— J'aurais bien voulu me joindre à votre quête, a répondu le tatoueur, mais j'ai un autre engagement.

— Du boulot ? a demandé Ema.

— Mon cours de yoga.

— Tu pratiques toujours avec Swami Paul ?

— Non, les postures du yoga bikram dérangeaient mon chakra rouge. J'étais en colère tout le temps. Là, je suis à fond dans la Kundalini. Vous devriez essayer tous les deux. Regardez-moi. Je suis tout blanc depuis quelque temps.

Je voyais de mieux en mieux le genre du mec.

On se dirigeait vers la porte quand Agent a appelé :

— Mickey ?

Je me suis retourné.

— Toi aussi, comme notre amie, tu as l'esprit pur. Tu as des centres d'énergie bénis et un vrai équilibre. Tu fais attention aux autres. Tu es leur refuge.

— Euh, merci.

— Et grâce à ça, tu possèdes une certaine sagesse. Tu comprends bien que tu ne sais rien sur cet homme que tu recherches. Tu devrais prendre garde, avant d'entraîner d'autres personnes dans sa sphère.

Agent soutenait mon regard, et j'ai parfaitement saisi ce qu'il voulait dire. J'ai hoché la tête.

— Merci pour le tuyau.

Il a fait un petit salut de la tête.

— Tu as pensé à te faire tatouer ? Ça t'irait bien.

— Je ne crois pas que ce soit mon truc.

— Oui, a-t-il acquiescé avec un sourire entendu. Tu as sans doute raison.

13

— Entre l'adresse dans le GPS, m'a dit Ema quand on est remontés en voiture.

— Non.

J'avais parfaitement capté la mise en garde d'Agent, même si je n'étais pas sûr d'en avoir besoin. Voici ce que je savais sur Antoine LeMaire : il était entré dans le lycée par effraction et avait forcé le casier d'Ashley. Il avait agressé M. Kent après s'être introduit chez lui. Bref, l'individu m'avait tout l'air dangereux. Si j'étais prêt à prendre des risques, je n'avais pas l'intention d'entraîner Ema et Spoon dans cette zone trouble.

Ce serait, euh... mauvais pour les chakras rouges.

— Il est tard, ai-je ajouté. Je vais vous déposer.

— Tu rigoles ? s'est récriée Ema.

— Non. Il n'est pas question qu'on y aille de nuit.

— On devrait peut-être faire un saut au magasin de luminaires, a suggéré Spoon. Pour acheter une veilleuse à Mickey. S'il a peur du noir.

Ema a souri.

— Ouais, bébé Mickey a besoin de sa petite loupiote. Tu veux peut-être aussi un doudou ?

Je me suis contenté de lui lancer un regard noir. Elle a haussé les épaules en guise d'excuses et dit :

— Dépose Spoon en premier.

Ce dernier m'a guidé jusqu'à une maison mitoyenne à la périphérie de Kasselton. Un petit camion stationnait dans l'allée, orné sur le côté d'un logo en forme de balais croisés. Mignon.

La porte s'est ouverte au moment où on s'est arrêtés. Un homme et une femme d'une quarantaine d'années sont sortis. L'homme portait sa tenue de concierge. La femme un tailleur. L'homme était blanc. La femme noire.

— Papa ! Maman ! s'est exclamé Spoon.

Il a remonté l'allée en courant et ils se sont étreints comme au terme d'une prise d'otages. Ema et moi les regardions en silence. J'ai ressenti un petit pincement d'envie, doublé d'un plus grand pincement de responsabilité. Il n'était pas question de mettre en danger l'un ou l'autre de mes nouveaux amis.

Spoon montrait la voiture du doigt. Ses parents nous ont souri en agitant le bras.

— Ouah ! Regarde-les ! a dit Ema.

— Je sais.

Ils ont réintégré leurs pénates.

— Bon, c'est quoi, le plan ? m'a-t-elle demandé.

— On rentre chez nous et on fait une petite recherche sur Internet, pour voir ce qu'on peut dégoter sur notre ami Antoine LeMaire, le Tatoué. On se retrouve demain matin pour échanger nos infos.

— OK. (Elle a ouvert sa portière.) À demain.

— Attends ! Je vais te déposer.

— Pas la peine.

— Tu habites dans le coin ?

— Pas très loin. Salut.

— Attends !

Mais elle était déjà sortie de la voiture et descendait la rue. Au moment où je me demandais si je n'allais pas la suivre, elle a brusquement tourné à droite et s'est enfoncée dans les bois. J'ai bien pensé insister, lui courir après, mais Ema avait droit à ses secrets – après tout, j'avais les miens, non ?

Je craignais que Myron ne soit à la maison. Comment lui expliquer que je conduisais la voiture ? Il savait que j'avais une fausse pièce d'identité. Lorsqu'il nous avait retrouvés, maman et moi, dans le mobile home où nous nous étions installés, je travaillais dans une papeterie Staples, sous le nom de Robert Johnson. Il n'empêche qu'il n'apprécierait sûrement pas que je conduise sans permis, surtout pour aller dans un salon de tatouage.

J'ai garé la voiture dans le garage et je suis rentré dans la maison. Heureusement, il n'y avait pas trace de Myron. Après avoir pris quelques provisions dans la cuisine, je suis descendu au sous-sol. La recherche Google sur Antoine LeMaire n'a rien donné : pas de page Facebook ni de compte Twitter, ni rien. J'ai rentré l'adresse dans MapQuest. D'après la photo satellite, le quartier était assez minable. Juste à côté, il y avait un club de strip-tease appelé le Plan B. Une fois encore, j'étais surpris de voir où me menait ma recherche d'Ashley.

— Qu'est-ce que tout ça a à voir avec elle ? ai-je demandé à haute voix aux stars du basket punaisées aux murs.

Inutile de préciser qu'ils ne m'ont pas répondu.

J'ai entendu du bruit au-dessus de ma tête, puis :

— Mickey ?

— Je bosse ! ai-je crié.

Rien de plus efficace que le verbe bosser pour se protéger d'un tuteur indésirable. Quand vous criez « Je bosse ! », les parents vous laissent toujours tranquille. Ça marche aussi bien qu'un crucifix brandi devant un vampire.

J'ai reporté mon attention sur mon ordinateur. Il avait vu du pays. Mon père l'avait acheté au Pérou, trois ans plus tôt, si bien qu'il avait fait plusieurs fois le tour du monde. C'est drôle. Je ne possède rien qui ait appartenu à mon père. Il m'avait appris à ne pas m'attacher aux choses matérielles. Une bague n'est pas mon père. Une montre n'est pas mon père. Aucun de ces objets ne pourrait me consoler. Comme il me l'avait expliqué, un objet ne pouvait procurer de véritable joie.

Mais curieusement, ce portable semblait plus personnel, plus « lui » qu'aucun autre truc. Il avait passé du temps sur cet ordinateur. Il y avait rédigé des lettres, travaillé sur ses rapports d'activité, y avait cherché des informations. Je pensais parfois à ses mains sur ce clavier.

Chacun de nous avait un dossier – papa, maman et moi. J'ai cliqué sur celui de mon père. Ses fichiers étaient classés par ordre chronologique. L'espace d'une seconde, j'ai été surpris de voir que l'un d'eux avait été ouvert seulement six semaines plus tôt. Puis je me suis rappelé. Myron avait fouillé cet ordinateur, à la recherche d'indices sur ce qui était arrivé à son frère.

Le dernier fichier qu'il avait ouvert, et le plus récent, s'intitulait « Lettre de démission ». J'ai cliqué dessus, et le document est apparu.

À : Refuge Abeona

Cher Juan,

C'est le cœur lourd, mon vieil ami, que je démissionne de mon poste dans notre merveilleuse organisation. Kitty et moi vous soutiendrons toujours. Nous croyons tant en cette cause, nous lui avons tant donné. Mais en vérité nous avons reçu bien davantage que les jeunes que nous avons aidés. Vous le comprenez. De cela, nous serons toujours reconnaissants.

Il est temps cependant, pour les Bolitar errants, de se poser. J'ai trouvé un travail à Los Angeles.

Kitty et moi aimons jouer les nomades, mais aucun de nos séjours n'a été suffisamment long pour nous permettre de prendre racine. Or je pense que Mickey, notre fils, a besoin de cela. Il n'a pas choisi cette existence-là. Il a passé sa vie à voyager, à se faire des amis et à les perdre, et nulle part il ne s'est senti chez lui. Il a besoin de stabilité et de pouvoir s'adonner à ses passions, notamment le basket. Alors, après mûre réflexion, Kitty et moi avons décidé de lui offrir un lieu de résidence fixe pour ses trois dernières années de lycée, après quoi il pourra aller à l'université.

Et ensuite, qui sait ? Moi-même, jamais je n'aurais imaginé mener cette vie-là. Mon père citait toujours un proverbe yiddish : « L'homme prévoit, Dieu rit. » Kitty et moi espérons pouvoir revenir un jour. Je sais qu'on ne quitte jamais vraiment le refuge Abeona. Je sais que je vous demande beaucoup. Mais j'espère que vous comprendrez. Entre-temps, nous ferons notre possible pour que cette transition se passe en douceur.

Fraternellement,

Brad.

J'ai relu la lettre encore deux fois, les yeux embués de larmes. Elle ne contenait pourtant rien d'inédit : je savais tout ça. Mais le fait de le voir écrit, formulé aussi simplement par mon père aujourd'hui décédé, me faisait atrocement souffrir.

C'est vrai, j'en avais assez de nos voyages perpétuels. J'avais envie d'une vie normale ; qu'on se fixe dans un lieu où je pourrais jouer toute une saison dans la même équipe de basket, lier des amitiés durables, rester dans un même lycée, essayer peut-être ensuite d'entrer à l'université.

Eh bien, félicitations, Mickey. Tu as ce que tu voulais.

Je me rappelais notre vie, à l'époque où mon père avait écrit cette lettre. On était pourtant très bien, non ? Mes parents étaient amoureux et heureux. Maintenant, à cause de mes aspirations, mon père était mort, et tout ce que ma mère aimait sortait d'une seringue. Et la vérité – la vérité incontournable quand je considérais les choses de manière honnête –, c'est que c'était ma faute.

Beau travail, Mickey.

J'ai entendu la porte du sous-sol s'ouvrir et Myron appeler :

— Mickey ?

Je me suis essuyé les yeux.

— Je bosse !

Il avait un ton joyeux et chantant :

— Tu as de la visite.

— Quoi ?

Ses pas ont résonné dans l'escalier. Et de nouveau, cette voix horripilante :

— Il y a une jeune demoiselle qui vient te voir.

Je me suis retourné. Mon oncle affichait le sourire le plus large, le plus niais, le plus ridicule que j'aie jamais vu sur un visage humain. Derrière lui se tenait Rachel Caldwell.

— Salut, a-t-elle dit.

— Salut.

Le retour de M. Romantique.

Myron nous souriait comme un animateur de jeu télévisé.

— Vous voulez que je vous fasse du pop-corn ?

— Non merci, me suis-je empressé de répondre.

— Et toi, jeune fille ?

Jeune fille ? J'avais envie de mourir.

— Non merci, monsieur Bolitar.

— Appelle-moi Myron.

Il restait planté là, souriant comme un imbécile heureux. Je lui ai lancé un regard noir, élargissant un peu les yeux pour me faire comprendre. Message reçu. Plus ou moins.

— OK, a-t-il dit. Je vais vous laisser. Je crois que je vais retourner là-haut.

Myron a désigné l'escalier du pouce. Au cas où on n'aurait pas su situer « là-haut ».

— Super, ai-je dit pour l'inciter à passer la seconde.

Oncle Simplet a mis le pied sur la première marche, avant de se retourner vers nous.

— Euh, hum, si ça ne vous embête pas, et même dans le cas contraire, je vais laisser la porte du sous-sol ouverte. Non pas que je ne vous fasse pas confiance, mais je ne crois pas que les parents de Rachel approuveraient.

— Très bien, l'ai-je interrompu. Laisse la porte ouverte.

M'arriverait-il encore dans ma vie de me sentir aussi mortifié ? J'en doutais.

— Merci, Myron. Salut.

— Si vous changez d'avis pour le pop-corn...

— Tu seras le premier au courant. Salut !

Enfin, il s'est engagé dans l'escalier. Je me suis tourné vers Rachel, qui se retenait pour ne pas pouffer.

— Désolé pour mon oncle. Il est un peu lourd.

— Je le trouve sympa. Dis-moi, tout le monde fait plus d'un mètre quatre-vingt-dix dans votre famille ? Fais-moi penser à mettre des talons, la prochaine fois.

J'ai ri, peut-être un peu trop fort.

— J'ai deux contrôles la semaine prochaine, a-t-elle expliqué, donc je me suis dit qu'on pourrait s'avancer sur notre dossier sur la Révolution française.

— Si tu veux.

Rachel a balayé la pièce des yeux, s'arrêtant sur les posters de Myron, la lampe à lave de Myron (oui, il en avait une), le pouf Sacco de Myron.

— Cool, ta chambre.
— C'est celle de mon oncle.
— Vraiment ?
— Oui. Je ne suis là que temporairement.
— Tu viens d'où ?
— De partout.
— Belle réponse vague.
— J'essayais de jouer les hommes mystérieux.
— Alors, dis-moi, homme mystérieux, a-t-elle repris – et j'ai bien aimé la façon dont elle le prononçait –, qu'est-ce que tu faisais devant le casier de ta petite amie, hier ?

J'ai failli répondre : *Ce n'est pas vraiment ma petite amie*, mais je me suis retenu.

— Je voulais juste vérifier quelque chose.
— Vérifier quoi ?
— Tu connais Ashley ? ai-je demandé.
— Pas vraiment, non.

Je me demandais ce que je pouvais lui révéler. Rachel me regardait de ses yeux d'un bleu profond dans lesquels un garçon pouvait plonger et ne plus jamais ressortir. Pour son plus grand plaisir, d'ailleurs.

— Elle a quitté le lycée. Ça fait une semaine que je ne l'ai pas vue, et que je n'ai pas eu de ses nouvelles. Je ne sais pas où elle est partie.
— Et tu t'es dit que dans son casier…
— Je ne sais pas. Je me suis dit que j'y trouverais peut-être un indice.

Rachel a paru réfléchir.

— Ashley aussi est nouvelle, n'est-ce pas ?
— Oui.
— Elle a peut-être simplement déménagé.
— Peut-être.

De l'étage, Myron a crié :

— Tout va bien en bas ? Personne ne veut du pop-corn ou un jus de pomme ?

Un jus de pomme ?
Rachel m'a souri. Je me suis senti rougir.
Myron a crié de nouveau :
— Mickey ?
— On bosse !

14

Plus tard ce soir-là, alors que je m'apprêtais à me mettre au lit, j'ai reçu un SMS.

Ema : **Tu peux sortir ?**

Moi : **Oui. Ké ce ki se passe ?**

Ema : **Vu un truc dans les bois chez la c-s. Faut aller vérifier.**

Maintenant ? me suis-je demandé. En même temps, c'était le moment idéal. En plein jour, il aurait été difficile de s'en approcher sans être vus. J'ai enfilé un jogging, attrapé une lampe-torche et grimpé l'escalier.

Au moment où j'ouvrais la porte, la voix de Myron a retenti derrière moi.

— Où vas-tu ?

— Dehors.

Il a regardé ostensiblement sa montre.

— Il est tard.

— Je sais.

— Et c'est un jour de semaine.

Je détestais quand mon oncle essayait de jouer au parent.

— Merci pour l'info. Je n'en ai pas pour longtemps.

— Je crois que tu devrais me dire où tu vas.

— Juste retrouver une amie, ai-je répondu, espérant mettre fin à la discussion.

Raté.

— Cette Rachel qui est passée tout à l'heure ? a insisté Myron.

Je devais étouffer dans l'œuf ses velléités d'autorité.

— On a passé un accord quand j'ai accepté de venir ici, ai-je dit. Une des clauses de cet accord, c'est que tu ne te mêlais pas de mes affaires.

— Je n'ai jamais accepté de te laisser sortir à n'importe quelle heure.

— Si, justement. Mais bon, je vais retrouver une copine, rien de plus. Pas de quoi se prendre la tête.

Et je me suis précipité dehors, sans lui laisser le temps d'argumenter. OK, il essayait de faire ce qu'il estimait devoir faire, mais bon sang, je ne voulais pas de ça, pas de lui.

J'ai retrouvé Ema à une centaine de mètres de chez la femme chauve-souris.

— Comment se fait-il que tu sortes si tard ? lui ai-je demandé.

— Quoi ?

— Tu as 14 ans, et tu es dehors à n'importe quelle heure. Tes parents ne sont pas furieux ?

— Tu écris ma biographie ou quoi ?

— Très bonne, celle-là.

— Ouais, désolée, elle était nulle. Autrefois, j'étais beaucoup plus marrante. Je veux dire, avant de traîner avec toi.

Il était presque minuit. Au bout de la rue se dressait, lugubre, la maison de la femme chauve-souris. Elle était plongée dans l'obscurité, à l'exception d'une lumière qui brillait à une fenêtre dans une pièce d'angle à l'étage. Sûrement sa chambre. Est-ce qu'une vieille dame ne devrait pas dormir, à cette heure-là ? Je l'imaginais, seule dans son lit, en train de lire, ou de jeter des sorts, ou de dévorer des petits enfants.

Aïe, il fallait que je me reprenne.

— Alors, qu'est-ce que tu voulais vérifier ? ai-je demandé à Ema.

— Quand j'étais cachée dans les bois pour échapper au chauve, j'ai repéré quelque chose derrière le garage.

— Quoi ?

— Je ne sais pas exactement. On aurait dit un jardin. Et j'ai cru voir... j'ai cru voir une espèce de pierre tombale.

Alors que l'air était chaud et humide, j'ai été parcouru d'un frisson.

— Tu veux dire qu'il y aurait une tombe ?

— Je ne suis pas sûre. C'était peut-être seulement un rocher. Mais c'est pour ça qu'il faudrait vérifier.

De mon côté, je voulais voir le garage de plus près. Qu'est-ce que cette voiture était venue faire là ? Si ces types avaient seulement rendu visite à la femme chauve-souris – et j'avais du mal à le croire –, pourquoi ne s'étaient-ils pas tout simplement garés dehors ? Pourquoi avoir pris la peine de rentrer leur véhicule dans un garage à peine assez grand pour le contenir ?

Je me suis rappelé ma dernière rencontre avec le chauve.

Est-ce que mon père est en vie ?

On en reparlera.

Comme si j'allais rester assis les bras croisés à attendre qu'il veuille bien éclairer ma lanterne ! Nous nous sommes dirigés vers le bois derrière la maison de la femme chauve-souris. Devait-on, ou non, utiliser nos torches ? Dans le premier cas, quelqu'un risquait de nous voir et d'appeler les flics. Dans le second, nous ne verrions rien.

Les réverbères nous ont éclairés suffisamment pour qu'on parvienne en lisière de la forêt. Une fois encore, j'ai été frappé de voir à quel point la maison en était proche. Je me suis avancé à pas de loup vers la porte de derrière.

— Qu'est-ce que tu fabriques ? a chuchoté Ema.

Bonne question. Je n'allais pas la forcer une nouvelle fois, si ? Surtout pas de nuit. J'étais pourtant attiré par cet endroit, sans savoir pourquoi. Je me suis baissé pour regarder par les fenêtres de la cave. Le noir complet. Pas le moindre rai de lumière ne filtrait. Impossible de distinguer quoi que ce soit.

J'ai repensé à ma précédente visite dans cette maison. À cette vieille photo où apparaissait le papillon que j'avais revu sur la tombe de mon père. À la lumière qui s'était allumée dans la cave.

Qu'est-ce qu'il y avait là en bas ? Et j'aurais aussi bien pu me demander : qu'est-ce qu'il y avait là-haut, dans cette pièce éclairée ?

— Mickey ? m'a appelé Ema.

— Il est où, ce jardin ?

— Derrière le garage. Par ici.

Au bout de deux pas dans la forêt, nous avons dû nous arrêter : l'obscurité était trop dense. J'avais du mal à voir ma main tendue devant moi. J'ai sorti ma lampe et pointé son faisceau vers le sol. Il fallait prendre ce risque. Arrivé au garage, je me suis rendu compte qu'il n'avait pas de fenêtre : impossible de voir à l'intérieur.

— C'est là-bas, a murmuré Ema.

J'ai jeté un rapide coup d'œil en arrière. Toutes les lumières de la maison étaient éteintes. Je me suis demandé si celle de la chambre, devant, était encore allumée. La femme chauve-souris dormait peut-être. Elle s'était peut-être endormie des heures plus tôt, en oubliant d'éteindre sa lampe. À moins qu'elle soit morte...

Chouette pensée, Mickey !

Ema et moi avancions, collés contre la paroi du garage. Arrivé au coin, j'ai braqué la torche devant moi.

Qu'est-ce que… ?

Ema avait raison. Il y avait bien un jardin. Même si je n'y connais pas grand-chose en botanique, celui-ci était visiblement très bien entretenu et magnifique. Il formait comme une explosion ordonnée de couleurs au milieu de la nature sauvage. Une clôture, haute d'une trentaine de centimètres, entourait un espace d'environ vingt mètres carrés. Un sentier bordé de fleurs le traversait. Et au bout, il y avait ce qui ressemblait en effet à une pierre tombale.

Pendant un instant, Ema et moi sommes restés immobiles. Derrière moi, j'ai cru percevoir le son étouffé d'une musique. Du rock. J'ai regardé Ema. Elle l'avait entendue aussi. Nous avons doucement pivoté vers la maison de la femme chauve-souris. Elle était toujours plongée dans l'obscurité, mais la musique venait incontestablement de là.

— La tombe, a dit Ema en se retournant, c'est sûrement celle d'un chien ou d'un chat, non ?

— Sûrement, ai-je répondu un peu trop vite.

— On devrait quand même aller voir de plus près.

— Exact.

J'ai ouvert la marche, sentant mes genoux trembler littéralement. Nous avons enjambé la clôture et remonté le sentier jusqu'à la pierre. Je me suis penché. Ema a fait de même. La musique résonnait toujours doucement, mais maintenant, dans le silence de la nuit, je distinguais des paroles :

Mon unique amour,
Nous n'aurons plus d'hier…

Je connaissais cette voix – Gabriel Wire, du groupe HorsePower, peut-être ? –, mais je n'avais jamais entendu cette chanson. J'ai braqué ma torche sur la pierre tombale. Soudain, il m'est venu l'idée bizarre que j'allais voir le nom d'Ashley inscrit dessus, que quelqu'un l'avait tuée et enterrée ici, que c'était la fin de ma quête. Cette pensée n'a duré qu'une seconde, mais assez pour me faire frissonner des pieds à la tête.

Quand le faisceau de la lampe est tombé sur la pierre, j'ai d'abord remarqué qu'elle était vieille et usée. Si un animal domestique reposait ici, il était mort depuis longtemps. La deuxième chose que j'ai vue, ce sont des mots. Une épitaphe, sans doute. Je l'ai lue une fois, puis deux, sans être sûr de bien comprendre :

ŒUVRONS À FAIRE GRANDIR NOTRE CŒUR
À MESURE QUE NOUS VIEILLISSONS
COMME LE CHÊNE EN ÉTENDANT SES BRANCHES
OFFRE UN MEILLEUR REFUGE

— Ça t'inspire ? m'a demandé Ema.

Le mot « refuge » était en majuscules. Pourquoi ? Une fois encore, j'ai pensé à mon père, et à sa lettre de démission au *refuge* Abeona.

Une coïncidence ?

J'ai dirigé la torche plus bas.

ICI REPOSE E.S.
UNE ENFANCE PERDUE POUR DES ENFANTS

— « Une enfance perdue pour des enfants », a lu Ema à voix haute. Qu'est-ce que ça peut vouloir dire ?

— Aucune idée.

— Qui est E.S ?

— Hum… c'est peut-être un chien.

— Un chien dont l'enfance a été perdue pour des enfants ?

Elle avait raison, ça n'avait aucun sens. J'ai encore baissé la torche, presque jusqu'au sol, et là, en petits caractères était gravé :

A30432

J'ai senti mon sang se figer dans mes veines.

— Comment je connais ce numéro ? m'a demandé Ema.

— La plaque d'immatriculation de la voiture noire.

— C'est dingue ! Mais qu'est-ce que ça peut être, enfin ?

— Peut-être une date ? ai-je suggéré sans conviction.

— Une date qui commence par la lettre A ?

— Les chiffres. Le 4, c'est peut-être le mois d'avril. Le 30 avril 1932.

— Tu crois ?

En fait non, je n'en étais pas persuadé du tout. Perplexe, je suis resté là tandis qu'Ema faisait le tour de la tombe, s'éclairant avec son portable. La musique nous parvenait encore de la maison. Il était minuit passé.

Quel genre de vieille dame écoute du rock en plein milieu de la nuit ?

Le genre qui passe encore ses vieux vinyles. Qui garde une tombe bizarre au fond de son jardin. Qui reçoit d'étranges visiteurs dans une voiture noire dont le numéro de plaque orne cette même tombe bizarre. Qui raconte à un adolescent que son père décédé est encore en vie.

— Qu'est-ce que c'est que ça ? m'a demandé Ema. (D'un coup, je suis revenu au présent.) Là derrière, a-t-elle ajouté en pointant le doigt vers la pierre. Il y a un dessin gravé.

Avant même d'avoir fait le tour, je savais. Et quand j'ai éclairé le dos de la pierre, j'ai été à peine surpris.

Un papillon, portant des yeux sur les ailes.

Ema a retenu son souffle. Dans la maison, la musique s'est tue. Comme si quelqu'un l'avait éteinte à l'instant même où mes yeux s'étaient posés sur ce foutu symbole.

Ema m'a regardé et ce qu'elle a lu sur mon visage a semblé l'inquiéter.

— Mickey ?

Non, je n'étais vraiment pas surpris. Je ne l'étais plus. J'étais en colère. Je voulais des réponses. Et j'allais les obtenir, coûte que coûte. Je n'allais pas attendre que M. le-chauve-à-l'accent-britannique me contacte. Ni que la femme chauve-souris descende du ciel pour me livrer un nouvel indice crypté. Putain, je n'allais même pas attendre le lendemain.

J'allais découvrir la vérité maintenant.

— Mickey ?

— Rentre chez toi, Ema.

— Quoi ? Tu rigoles, hein ?

J'ai fait volte-face et me suis précipité vers la maison. Sortant mon portefeuille, j'en ai tiré ma carte de crédit.

— Où tu vas ? a demandé Ema dans mon dos.

— À l'intérieur.

— Tu ne peux pas juste… Mickey ?

Si, justement, j'allais de nouveau forcer cette serrure et entrer dans cette baraque. J'allais fouiller partout et inspecter la cave – et si je devais monter l'escalier et pénétrer dans la chambre de la femme chauve-souris pour obtenir des réponses, je le ferais.

— Mickey, va moins vite.

— Je ne peux pas.

Elle m'a saisi par le bras.

— Attends une seconde, s'il te plaît.

Je me suis libéré doucement.

— Tu as vu cette espèce de papillon ? Il était sur une photo dans le salon de la femme chauve-souris.

Une photo prise il y a quarante ou cinquante ans. Elle figurait aussi sur une petite carte, sur la tombe de mon père. Je n'ai pas l'intention d'attendre, Ema. J'ai besoin d'explications maintenant.

Comme la dernière fois, j'ai tenté d'introduire ma carte de crédit entre la porte et le chambranle.

Impossible.

La serrure avait été changée, de même que la poignée, et la porte renforcée par des montants de fer.

— Ils n'ont pas perdu de temps, a dit Ema. Et maintenant ?

— Maintenant, tu t'en vas.

Elle a fait semblant de bâiller.

— Non, ne compte pas trop là-dessus.

— OK, tu l'auras voulu.

Quand j'ai frappé à la porte, Ema a poussé un petit cri et a reculé de deux pas.

Pas de réponse. J'ai collé l'oreille à la porte. Aucun bruit à l'intérieur. J'ai frappé plus fort et me suis mis à crier.

— Eh ! La chauve-souris ! Ouvrez ! Ouvrez tout de suite !

Ema a tenté de m'arrêter.

— Mickey ?

L'ignorant, j'ai commencé à donner des coups de pied dans la porte. Puis de poing. Ils pouvaient ajouter tous les montants de fer qu'ils voulaient, je m'en foutais. J'allais entrer et obtenir des réponses.

C'est alors qu'un faisceau géant de lumière m'a frappé de côté.

Je sais que la lumière ne « frappe » pas, mais c'est vraiment l'effet que j'ai ressenti. Elle était si soudaine et si vive que j'ai fait un bond en arrière, levant les bras comme pour me protéger d'un agresseur. J'ai entendu un bruissement sur ma droite et compris qu'Ema venait de s'enfuir.

Une voix s'est écriée :

— On ne bouge plus !

J'ai obtempéré. Je me demandais si c'était le chauve, mais non, celui-là n'avait pas l'accent britannique. La lumière s'est rapprochée. J'ai entendu des bruits de pas derrière. Ils étaient plusieurs – peut-être deux ou trois.

— Euh, vous pouvez baisser votre torche ? ai-je demandé.

La lumière est restée braquée sur mon visage, se rapprochant de plus en plus. J'ai fermé les yeux. Et si j'essayais de m'échapper ? Je ne savais pas à qui j'avais affaire. Je cours vite. Je pouvais réussir à les semer. Puis j'ai pensé à Ema. Peut-être l'avaient-ils entendue. Si je m'enfuyais, ils risquaient de la poursuivre et de la rattraper. Mais s'ils se concentraient sur moi, elle serait en sécurité.

— Pas un geste, a dit l'homme, tout proche à présent.

J'ai entendu un bruit de radio ou de talkie-walkie. Des parasites. Puis deux hommes qui parlaient. D'autres radios derrière. Et une deuxième lampe s'est braquée sur moi.

— Tiens, tiens, a dit la voix. Regardez qui voilà. Encore une tentative de cambriolage, Mickey ?

Cette fois, j'ai reconnu la voix : Taylor, le commissaire de police. Le père de Troy.

— Je ne cambriolais pas. Je frappais à la porte.

— Bien sûr. Et c'est quoi, cette carte, dans ta main ?

Un autre flic s'est avancé.

— Besoin d'aide, chef ?

— Oh, tout est sous contrôle. Retourne-toi et mets les mains dans le dos.

J'ai obéi. J'imagine que j'aurais dû m'y attendre, mais j'ai quand même eu un choc en entendant les menottes se refermer sur mes poignets. Taylor s'est penché vers moi pour murmurer :

— Il paraît que tu as agressé mon fils, alors qu'il avait le dos tourné ?

— Vous êtes mal informé, ai-je rétorqué. Il a juste eu la mauvaise idée de s'en prendre à plus jeune que lui.

Une douleur m'a traversé l'épaule quand Taylor m'a tiré brusquement par le bras. Il m'a entraîné vers l'avant de la maison. Deux voitures de police stationnaient dans la rue. La portière arrière de l'une d'elles s'est ouverte. Le commissaire Taylor m'a posé la main sur la tête et m'a poussé à l'intérieur. Je me suis retourné vers la maison et j'ai vu que la lumière brillait encore dans la pièce à l'étage.

Le rideau a bougé. Et soudain, le visage de la femme chauve-souris est apparu.

J'ai failli lâcher un cri.

Même à cette distance, même à travers la vitre arrière, je voyais qu'elle me regardait dans les yeux. Ses lèvres remuaient. Elle répétait encore et encore la même chose, comme un mantra. Je l'ai observée pendant que Taylor s'installait à l'avant. La femme chauve-souris prononçait en boucle les mêmes mots à mon intention. Des mots que je m'efforçais de déchiffrer.

La voiture a démarré. Les lèvres de la femme chauve-souris semblaient remuer plus vite, comme s'il était impérieux pour elle de me communiquer son message avant que je disparaisse de sa vue. Et alors, j'ai cru comprendre les deux mots, ces deux mots qu'elle tentait si désespérément de me dire :

— Sauve Ashley !

15

Myron m'a fait sortir.

J'étais assis dans une cellule. Le policier qui a déverrouillé la porte à barreaux paraissait un peu gêné que son supérieur m'ait enfermé là-dedans. Mon oncle s'est approché comme dans l'intention de me prendre dans ses bras, mais mon langage corporel a dû lui laisser entendre que ce n'était pas la chose à faire. À la place, il m'a donné une petite tape sur l'épaule.

— Merci, ai-je marmonné.

Il m'a répondu par un hochement de tête. Sur le chemin de la sortie, Taylor nous a bloqué le passage. Myron a fait écran entre nous, se plaçant devant moi. Tous deux se sont affrontés du regard pendant ce qui m'a semblé une éternité. Ma précédente rencontre avec le commissaire, à la maison des Kent, m'est revenue en mémoire : « *Une grande Gueule. Comme le tonton.* »

— Maintenant que ton neveu est accompagné d'un adulte, a déclaré Taylor, j'aimerais lui poser quelques questions.

— À propos de quoi ?

La haine entre les deux hommes n'était pas seulement visible : elle était palpable.

— Il y a eu un cambriolage à la maison des Kent. Ton neveu a été découvert à proximité immédiate du lieu de l'effraction. On veut l'interroger là-dessus, ainsi que sur la tentative de cambriolage de ce soir.

— Une tentative de cambriolage ?

— Oui.

— Alors qu'il frappait à la porte et n'est même pas entré dans la maison ?

— J'ai bien dit tentative. Et il violait une propriété privée.

— Non, c'est faux, a dit Myron. Il frappait à la porte.

— Tu ne vas pas m'apprendre la loi.

Secouant la tête, Myron a fait un pas vers la porte, mais Taylor s'est de nouveau interposé.

— Vous allez où comme ça ? Je crois t'avoir dit que je voulais poser quelques questions à ton neveu.

— Il n'a rien à te dire.

— Et pourquoi donc ?

— Parce que son avocat en a décidé ainsi.

Taylor l'a regardé comme s'il s'agissait d'une déjection canine.

— Ah oui, c'est vrai. Après avoir foiré ta carrière de basketteur, tu es devenu un avocat véreux.

Myron s'est contenté de sourire.

— On y va.

— C'est comme ça que tu comptes la jouer ? Dans ce cas, je vais devoir l'inculper. Peut-être le garder pour la nuit.

Mon oncle a regardé derrière lui. Les deux autres flics baissaient la tête : ils ne paraissaient pas ravis.

— Vas-y, a dit Myron. Tu seras la risée du tribunal.

— Tu veux vraiment qu'on aille jusque-là ?

Non, ai-je pensé.

— Mon neveu n'a commis aucun délit. (Il s'est rapproché du commissaire.) Tu sais pourtant ce qu'est un délit, Eddie ?

Taylor n'a pas répondu.

— Tu te souviens du jour où tu as balancé des œufs sur ma maison, l'année où j'étais en première ? Les flics t'ont surpris, mais ils ne t'ont pas traîné au poste comme ça. Ils t'ont ramené chez toi. Ou le jour où le commissaire Davis t'a pincé en train de balancer des bouteilles de bière contre le lycée ? Un vrai gros dur qui cassait du verre, jusqu'à ce que Davis arrive. Là, tu t'es mis à pleurer comme un veau...

— La ferme !

— ... quand il a menacé de t'embarquer dans la voiture de patrouille. (Myron s'est tourné vers moi.) Tu as pleuré, Mickey ?

— Non.

— Eh bien, le commissaire Taylor ici présent pleurait comme un gamin de 3 ans. Ah, je m'en souviens comme si c'était hier. Tu as pleuré...

Taylor était devenu rouge Ferrari.

— La ferme !

Les deux autres flics ricanaient sous cape.

— Mais ce jour-là aussi, Davis t'a seulement raccompagné chez toi, a repris Myron. Il ne t'a pas menotté. Que je sache, il ne t'a pas foutu au trou sous prétexte qu'il avait un vieux contentieux avec ton oncle, ce qui, franchement, est assez lâche de ta part.

— Tu t'imagines que c'est pour ça ?

Myron a fait un nouveau pas en avant.

— Je *sais* que c'est pour ça.

— Recule-toi, Myron.

— Ou ?

— Tu veux te mettre le chef de la police à dos ?

— J'ai l'impression que c'est déjà le cas.

Mon oncle a contourné Taylor et m'a fait signe de le suivre vers la sortie. Nous avons traversé le parking sans dire un mot. Ce n'est qu'une fois dans la voiture qu'il m'a demandé :

— Tu as fait quelque chose d'illégal ?

— Non.

— Tu m'interroges sur la maison de la femme chauve-souris. Et ensuite, tu lui rends une petite visite nocturne. Il y a des choses dont tu voudrais me parler ?

J'ai réfléchi, avant de répondre :

— Non, pas tout de suite.

— OK, comme tu veux.

Il n'a pas insisté. Il a démarré la voiture et nous nous sommes installés dans un silence assez confortable, pour une fois.

Cette nuit-là, quand le rêve commence, mon père est encore en vie.

Il a un ballon de basket à la main.

— Salut, Mickey.

— Papa ?

Il me sourit.

Je ressens un bonheur intense, un espoir immense. J'en pleure presque de joie. Je me précipite sur lui, mais soudain, il n'est plus là. Il est derrière moi. Je lui cours après, mais il disparaît de nouveau. Je commence à comprendre. Je commence à comprendre que c'est peut-être un rêve et qu'à mon réveil, mon père sera toujours mort. La panique me saisit. Je cours plus vite. Je me rapproche et parviens à l'entourer de mes bras. Je le serre de toutes mes forces et, l'espace d'un instant, il semble si réel que je me dis, mais oui, c'est bien la réalité ! Il est vivant ! Il n'est jamais mort !

Mais au même moment, je sens ma prise se desserrer. Derrière lui, j'aperçois l'ambulancier aux cheveux blond vénitien et aux yeux verts. Il me lance ce même regard pénétrant. Je hurle « Non ! », serre mon père plus fort et blottis mon visage contre sa poitrine. Mes larmes mouillent sa chemise bleue préférée. Mais mon père s'efface, à présent. Son sourire s'est évanoui.

Je hurle encore : « Non ! »

J'ai beau fermer les yeux et m'accrocher à lui, ça ne sert à rien. Autant essayer d'étreindre de la fumée. Le rêve s'achève. Je reprends conscience.

— S'il te plaît, ne me quitte pas, dis-je à voix haute.

Je me suis réveillé dans le sous-sol de Myron, en sueur et haletant. Portant la main à mon visage, j'ai senti les larmes sur mes joues.

Durant le cours de Mme Friedman, ce matin-là, Rachel et moi avons un peu travaillé sur notre projet. À un moment, elle m'a demandé :

— Qu'est-ce que tu as ?

— Rien, pourquoi ?

— C'est la cinquième fois que tu bâilles.

— Désolé.

— Je vais finir par me vexer.

— Ça n'a rien à voir avec toi. J'ai mal dormi cette nuit.

Elle me regardait de ses grands yeux bleus. Sa peau si veloutée me donnait envie de tendre la main pour la toucher.

— Je peux te poser une question personnelle ? m'a-t-elle demandé.

J'ai acquiescé à moitié.

— Pourquoi tu habites chez ton oncle ?

— Tu veux dire, pourquoi je ne vis pas avec mes parents ?

— Oui.

Les yeux baissés, je contemplais un portrait de Robespierre, datant du début de l'année 1794. Il avait l'air particulièrement sûr de lui. Avait-il seulement idée du sort qui l'attendait dans les mois suivants ?

— Ma mère est en cure de désintoxication, ai-je fini par répondre. Mon père est mort.

— Oh ! (Elle a porté la main à sa bouche.) Je suis désolée. Je ne voulais pas me mêler de...

Sa voix s'est comme éteinte d'elle-même. Relevant la tête, j'ai réussi à sourire.

— C'est rien.

— C'est à cause de ça que tu as mal dormi ? Tu as rêvé de tes parents ?

— De mon père, ai-je répondu.

— Je peux te demander comment il est mort ?

— Dans un accident de voiture.

— Tu as rêvé de l'accident ?

Ça suffit, ai-je pensé. Mais je me suis surpris à dire :

— J'étais là.

— Durant l'accident ?

— Oui.

— Tu étais dans la voiture ?

J'ai fait signe que oui.

— Tu as été blessé ?

J'avais eu plusieurs côtes cassées et passé trois semaines à l'hôpital. Mais la douleur physique n'était rien comparée à celle d'avoir vu mon père mourir.

— Légèrement.

— Qu'est-ce qui s'est passé ?

Les images étaient encore très nettes. Nous deux dans la voiture, en train de rire ; la radio allumée ; le choc soudain ; la tête qui se fracasse sur le tableau de bord ; le sang ; les sirènes. Quand j'avais repris conscience, j'étais coincé, incapable de bouger. Un ambulancier aux cheveux blond vénitien s'occupait de mon père. Les pompiers actionnaient des pinces hydrauliques pour me désincarcérer de mon siège ; c'est alors que l'ambulancier avait levé les yeux vers moi. Je me rappelais ses yeux verts, aux pupilles entourées d'un cercle jaune – ces yeux qui semblaient me dire que rien ne serait plus jamais comme avant.

— Ne t'en fais pas, a dit Rachel d'une voix très douce. On travaille en binôme en histoire ; ça ne t'oblige pas à ouvrir ton cœur, hein ?

J'ai hoché la tête avec reconnaissance au moment où la cloche sonnait, chassant l'image de l'ambulancier blond aux yeux verts.

Au déjeuner, Ema et moi avons mis Spoon au courant de notre visite nocturne à la maison de la femme chauve-souris. Il a paru blessé.

— Vous ne m'avez pas invité ?

— Il était 2 heures du matin. On s'est dit que tu dormirais.

— Moi ? Je suis du genre noctambule.

— Bien sûr, a dit Ema. À propos, tu dors en grenouillère ?

Spoon l'a ignorée.

— Répète-moi l'épitaphe, a-t-il demandé.

Ema lui a tendu son portable, avec lequel elle avait pris une photo de la pierre tombale :

ŒUVRONS À FAIRE GRANDIR NOTRE CŒUR
À MESURE QUE NOUS VIEILLISSONS
COMME LE CHÊNE EN ÉTENDANT SES BRANCHES
OFFRE UN MEILLEUR REFUGE

Deux minutes plus tard, Spoon annonçait :

— C'est une citation de Richard Jefferies, un écrivain anglais du XIXe siècle, connu pour ses descriptions du monde rural. Il a signé des essais, des ouvrages d'histoire naturelle et des romans.

On l'a regardé tous les deux.

— Quoi ? Je viens de faire une recherche sur Google et de lire sa biographie sur Wikipédia. Il n'y a rien sur l'enfance perdue pour les enfants, mais je pourrais continuer mes investigations.

— Bonne idée.

— Et si on se retrouvait après les cours pour aller à la bibliothèque ? a suggéré Ema. On pourrait trouver des renseignements sur la femme chauve-souris dans les archives de la ville.

— Je ne peux pas aujourd'hui, ai-je dit.

— Ah ?

— J'ai un match de basket.

Inutile d'entrer dans les détails. J'avais un plan. Je comptais aller à Newark en bus comme d'habitude. Jouer un peu au basket. Puis, sachant Ema et Spoon bien en sécurité ici, rendre une petite visite à Antoine LeMaire.

Après les cours, j'ai marché jusqu'à l'arrêt de bus de l'avenue Northfield et pris le 164. Pendant le trajet, j'ai sorti mon portable et mis la photo d'Ashley – celle où elle portait son pull BCBG et souriait timidement – en fond d'écran. Ainsi, elle serait prête si j'avais besoin de la montrer à quelqu'un.

Comme il bruinait un peu, il n'y avait pas grand monde sur le terrain de basket. Tyrell n'était pas là. Un de ses copains m'a expliqué qu'il révisait pour un contrôle important. Nous avons commencé à jouer, mais il s'est bientôt mis à pleuvoir et on a préféré s'arrêter là. Je me suis rechangé et, suivant les indications que j'avais trouvées sur Internet, je me suis mis en route vers le domicile d'Antoine LeMaire.

Il pleuvait fort à présent. Ça ne me gênait pas. J'aime bien la pluie. Je suis né dans un petit village de la région de Chiang Mai, au nord de la Thaïlande. Mes parents aidaient une tribu montagnarde du peuple des Lisu. Le chaman – le sorcier et guérisseur, qui faisait le lien entre le monde visible et le monde spirituel – avait donné à mon père une liste de choses que je devais accomplir au cours de ma vie. L'une consistait à « danser nu sous la pluie ». Allez savoir pourquoi, celle-là m'a toujours beaucoup plu. Je l'ai effectivement fait, quoique pas récemment ; et depuis que je suis en âge de comprendre cette liste, j'ai toujours eu une drôle d'affinité avec la pluie.

Une fois arrivé à la bonne adresse, j'ai eu la surprise de découvrir qu'elle n'était pas située à côté du club nommé le Plan B : c'était celle du Plan B. Il n'y avait pas d'appartement au-dessus. L'entrée, que gardait un grand Noir baraqué, était marquée par un cordon violet usé. L'auvent, d'un rouge passé, s'ornait de la silhouette d'une femme voluptueuse. Sur la porte en verre noir, une pancarte indiquait : **50 MAGNIFIQUES GO-GO DANSEUSES – ET 2 MOCHES.**

Hyper drôle.

Le videur m'a montré une autre pancarte défraîchie : **ENTRÉE INTERDITE AUX MOINS DE 21 ANS.**

J'ai failli lui demander s'il connaissait Antoine LeMaire, puis je me suis ravisé. Sortant mon portefeuille, je lui ai présenté ma pièce d'identité au nom de Robert Johnson, âgé de 21 ans. Il l'a regardée, m'a regardé, a sans doute compris que c'était une fausse, mais il s'en fichait. Bien qu'il ne soit que 5 heures de l'après-midi, l'activité battait déjà son plein. Des hommes entraient et sortaient par vagues. Tous les genres étaient représentés – les jeans, chemises en flanelle et baskets ou bottes d'ouvrier côtoyaient les costumes-cravates et mocassins cirés. Certains tapaient dans la paume du videur au passage.

— C'est trente dollars, m'a-t-il dit.

Rien que ça ?!

— Juste pour entrer ? ai-je demandé.

— Buffet compris. Ce soir, c'est du Tex-Mex.

Cette seule idée m'a fait grimacer. Il m'a laissé entrer. À l'intérieur, mes yeux ont mis quelques secondes à s'habituer à l'obscurité. Une fille en bikini, qui ne semblait pas plus âgée que moi, tenait la caisse. J'ai payé mes trente dollars. Elle m'a tendu une assiette, sans même lever les yeux vers moi.

— C'est pour le buffet, m'a-t-elle expliqué. Par là.

Elle montrait un rideau à droite.

La silhouette féminine de l'auvent décorait aussi l'assiette, agrémentée du slogan, plutôt facile : Plan B, là où l'on va quand le Plan A n'a pas marché.

La bouche soudain sèche, j'ai ralenti le pas. Je vais vous faire un aveu : j'étais nerveux, certes, mais aussi curieux. Je n'avais jamais mis les pieds dans ce genre d'endroit. J'aurais dû être au-dessus de tout ça, mais je me sentais vaguement émoustillé, et ça me plaisait bien.

Une musique entêtante pulsait à plein volume. La première chose devant laquelle je suis passé, c'est un distributeur automatique où le client pouvait retirer des billets de vingt, de dix et de cinq dollars. Pour récompenser les danseuses. Des types étaient assis devant leur bière, à un bar faisant aussi office de scène sur laquelle des filles dansaient, en talons aiguilles vertigineux. Je me suis forcé à ne pas les dévorer des yeux. Certaines danseuses étaient en effet magnifiques. D'autres moins. Je les ai regardées aguicher les clients pour les inciter à lâcher leurs billets. Un panonceau précisait : **TOUCHER N'EST PAS JOUER : TOUCHEZ ET VOUS IREZ JOUER AILLEURS**. Ce qui n'empêchait pas les types de glisser des dollars dans les strings des demoiselles.

Le buffet se trouvait derrière moi. Des chips industrielles. Du bœuf haché marinant dans une telle quantité de saindoux qu'on aurait dit de la viande en gelée. Même dans le noir, non seulement l'endroit tout entier semblait sale, mais il dégageait une impression sordide. La mise en garde était inutile : même si je n'avais pas la phobie des microbes, je n'avais pas envie de « toucher » quoi que ce soit.

Et maintenant, quelle était la suite du plan ?

J'ai trouvé un box vide dans un coin sombre. Quelques secondes plus tard, deux filles se sont approchées. Celle qui avait un décolleté plongeant et les cheveux teints en rouge pompier s'est glissée à côté de moi. Difficile de deviner son âge. On lui aurait aussi bien donné 20 ans que 40. J'aurais cependant penché pour la vingtaine. L'autre était une serveuse.

La fille rouge pompier m'a souri. Elle avait beau s'efforcer de paraître naturelle, son sourire semblait artificiel, comme si on venait de le lui dessiner sur le visage. Tout large et éclatant qu'il était, c'était le sourire le plus triste que j'avais jamais vu.

— Je m'appelle Candy, m'a-t-elle dit.

— Et moi, euh... Bob, ai-je répondu. Je suis Bob.

— Tu es sûr ?

— Ouais, Bob.

— Tu es adorable.

— Merci.

Vous remarquerez que, même nerveux, et même dans un endroit pareil, je restais le roi de la repartie.

Candy s'est penchée légèrement, pour m'offrir une belle vue sur son décolleté.

— Tu m'offres à boire ?

— Euh, eh bien, si vous voulez.

— C'est la première fois qu'on te voit ici ?

— Oui. Je viens juste d'avoir 21 ans.

— C'est mignon. Écoute, il est d'usage que tu te commandes un verre et que tu m'en offres un. On pourrait partager une bouteille de champagne.

— Ça coûte combien ?

Son sourire a vacillé.

— Trois cents dollars, a répondu la serveuse. Plus le pourboire.

Dieu merci, j'étais dans un box : si j'avais été assis sur une chaise, je serais tombé à la renverse.

— Euh, et si on prenait plutôt deux Coca light ? Ça fait combien ?

Maintenant, le sourire avait complètement disparu. Je n'étais plus adorable du tout.

— Vingt dollars. Plus le pourboire.

Ça allait me ruiner, mais j'ai tout de même hoché la tête. La serveuse m'a laissé seul avec Candy. Celle-ci me dévisageait.

— Qu'est-ce que tu es venu faire ici ?

— Pardon ?

— Si tu fêtais ton anniversaire, tu serais venu avec des amis. Et tu n'as pas l'air ravi d'être là. Alors ?

Au temps pour ma couverture... Mais c'était peut-être mieux comme ça.

— Je cherche quelqu'un, ai-je dit.

— Comme tout le monde.

— Pardon ?

Elle a secoué la tête.

— Tu cherches qui, trésor ?

— Un homme appelé Antoine LeMaire.

Son visage a perdu toute couleur.

— Vous le connaissez ? ai-je insisté.

Maintenant, elle paraissait terrifiée.

— Il faut que j'y aille.

— Attendez !

J'ai posé la main sur son bras, mais elle s'est dégagée brusquement. Je me suis rappelé la consigne : « Touchez et vous irez jouer ailleurs. » Elle a déguerpi. Je suis resté là, sans trop savoir quoi faire. Hélas, quelqu'un d'autre a décidé pour moi. Le gros videur de l'entrée se frayait un chemin vers mon box. J'ai sorti mon portable pour appeler quelqu'un, n'importe qui, afin d'avoir un témoin, mais il n'y avait pas de réseau. Génial.

Le gros videur s'est penché, jetant sur moi une ombre digne d'une éclipse de lune.

— Remontre-moi tes papiers, pour voir.

J'ai obéi.

— Tu ne fais pas 21 ans.

— C'est parce qu'il fait sombre, là-dedans. Dehors, vous m'avez vu à la lumière du jour et vous m'avez laissé entrer.

— Qu'est-ce que tu fiches ici ?

— Je m'amuse ? ai-je suggéré.

— Viens avec moi.

Il ne servait à rien de protester. Deux autres videurs s'étaient plantés quelques mètres derrière nous, et même dans un bon jour, je n'aurais pas pu me débarrasser des trois. Voire même d'un seul. Je me suis donc levé sur des jambes tremblantes pour me diriger vers la sortie. Ma visite avait échoué – quoique. Antoine LeMaire était manifestement connu ici. Son nom avait suscité des réactions. Si bien que je pouvais maintenant rentrer et croiser les...

Une main géante s'est écrasée sur mon épaule alors que j'atteignais la sortie.

— Pas si vite, a dit le videur. Par ici.

Oh, oh.

Sans me lâcher, il m'a entraîné dans un long couloir. Les deux autres gros bras nous suivaient. Les murs étaient couverts de posters de « danseuses ». On a dépassé les toilettes et deux autres portes avant de tourner à gauche.

Ça ne me plaisait pas du tout.

— Je voudrais m'en aller, ai-je dit.

Le videur n'a pas répondu. Arrivé au fond du couloir, il a déverrouillé une porte, m'a poussé dans une pièce et a refermé derrière nous. On se trouvait dans une espèce de bureau, aux murs décorés d'autres photos de filles.

— Je voudrais m'en aller, ai-je répété.

— Plus tard, peut-être.

Peut-être ?

Derrière la table de travail, une porte s'est ouverte, livrant passage à un petit homme mince. Il portait une chemise scintillante à manches courtes, ouverte jusqu'au nombril sur des chaînes en or et autre quincaillerie. Il avait les bras musculeux. Avez-vous déjà vu quelqu'un qui vous fiche la trouille rien qu'en entrant dans une pièce ? Ce type produisait cet effet-là. Même le gros videur, qui comptait bien trente centimètres et quarante kilos de plus, a eu un mouvement de recul. Le silence est tombé dans la pièce.

Le nouveau venu avait un petit visage de fouine et des yeux... de fou. Je sais qu'on ne doit pas se fier aux apparences, mais même un aveugle aurait vu que ce type n'annonçait rien de bon.

— Salut, m'a-t-il dit. Je m'appelle Buddy Ray. Et toi, c'est quoi ton petit nom ?

Il zozotait un peu.

— Robert Johnson.

Devant son sourire, les enfants seraient allés se cacher dans les jupes de leur mère.

— Enchanté, Robert.

Buddy Ray – j'ignorais si c'était un prénom double ou un prénom et un nom de famille – m'a examiné comme s'il s'apprêtait à me dévorer tout cru. Ce mec était barjot – c'était écrit sur son visage. Il n'arrêtait pas de se passer la langue sur les lèvres. J'ai risqué un coup d'œil au videur. Même lui avait l'air de flipper en présence de Buddy Ray.

Il s'est approché, dégageant des effluves piquants d'une eau de Cologne bon marché, impuissants à masquer une forte odeur de transpiration : cette puanteur le précédait comme un doberman en laisse. Il s'est planté à un mètre de moi. J'ai retenu mon souffle et suis resté droit dans mes baskets. Moi aussi, je le dominais d'une bonne tête. Le videur, lui, a fait un nouveau pas en arrière.

Buddy Ray a tendu le cou vers moi en souriant de plus belle. Puis, sans prévenir, il m'a donné un violent coup de poing dans le ventre. Tout l'air contenu dans mes poumons en a été brusquement expulsé. Je me suis plié en deux, puis je suis tombé à genoux. On aurait dit qu'une main géante me maintenait la tête sous l'eau. Je ne pouvais plus respirer. Mon corps entier réclamait de l'oxygène, rien qu'une bouffée, en vain. Je me suis effondré par terre, recroquevillé en position fœtale.

Buddy Ray s'est penché sur moi. Ses yeux de dingue brillaient comme ceux des personnages de jeux vidéo. Sa voix, quand il a ouvert la bouche, était douce.

— Dis-moi ce que tu sais sur Antoine LeMaire.

J'essayais d'inspirer, mais l'air n'entrait toujours pas. Mes poumons brûlaient.

Il m'a assené un coup dans les côtes du bout de ses bottes de cow-boy.

J'ai roulé sur moi-même pour m'écarter, sentant à peine la douleur du coup parce que je n'arrivais toujours pas à respirer. C'était tout ce que j'avais en tête : respirer. J'avais seulement besoin d'un peu de temps pour reprendre mon souffle.

Buddy Ray s'est tourné vers le gros videur.

— Relève-le, Derrick.

— C'est juste un gosse, patron.

— Relève-le.

De l'air. Enfin, j'ai réussi à inspirer quelques bouffées. Les grosses mains de Derrick ont saisi mon T-shirt au niveau des épaules. Il m'a soulevé comme si je ne pesais pas plus lourd qu'un sac de linge sale.

— Tiens-lui les bras en arrière, a ordonné Buddy Ray.

S'il ne paraissait pas ravi, Derrick a tout de même obéi. Il a passé ses bras massifs sous les miens pour les maintenir dans mon dos, exposant mon ventre et ma poitrine. J'ai senti les tendons de mes épaules se déchirer. Buddy Ray se léchait les babines de plaisir.

— S'il vous plaît, ai-je dit quand j'ai finalement réussi à parler. Je ne connais pas Antoine LeMaire. Moi aussi, je le cherche.

Buddy Ray m'a dévisagé.

— Robert Johnson, c'est ton vrai nom ?

Que répondre à ça ?

Il a plongé la main dans ma poche pour y prendre mon portable.

— Avec ça, on va trouver ton nom et ton adresse. (Nouveau sourire.) De cette façon, on pourra venir te voir quand on voudra, Derrick et moi.

Je me suis débattu, ce qui n'a servi qu'à énerver Derrick, qui a resserré sa prise. Buddy Ray a allumé mon portable – et écarquillé les yeux. Il m'a dévisagé, les traits déformés par la rage, puis a tourné l'écran vers moi.

C'était la photo d'Ashley.

Son corps s'est mis à trembler.

— Où est-elle ?

— Je ne sais pas.

— Tu mens, a-t-il dit d'une voix sourde. Où est-elle ? a-t-il répété en détachant chaque mot.

— Je la cherche. C'est pour ça que je suis là.

— Donc, tu es là pour Antoine ?

— Non, je suis là… pour moi-même.

Buddy Ray a pris quelques profondes inspirations ; ce que je lisais sur son visage ne présageait rien de bon.

— On devrait l'emmener au cachot, a-t-il dit à Derrick.

— Euh, vous êtes sûr, patron ?

Même le videur paraissait réticent.

— Voici ce qui va se passer, a repris Buddy Ray de sa voix doucereuse et zozotante. Pendant que Derrick te tient, je vais te frapper. Plus fort. Et là, quelle que soit ton envie de te recroqueviller par terre, il te maintiendra debout. Et si, après ça, tu ne parles toujours pas, on t'emmènera au cachot.

En voyant la peur sur mon visage, il a souri de plus belle.

— Attendez ! ai-je protesté. Je ne sais rien.

— Peut-être… mais peut-être pas. Il faut que j'en aie le cœur net, pas vrai ?

J'ai commencé à ruer, mais Derrick me tenait fermement. Buddy Ray a pris son temps, savourant l'instant. S'humectant les lèvres, il a sorti un poing américain.

J'ai frissonné.

— Euh, patron... a tenté Derrick.

— Tiens-le et tais-toi.

Buddy Ray a enfilé le poing américain et fermé la main. Il me l'a montré, au cas où j'aurais eu envie de l'examiner avant qu'il entre en action. Que faire ? J'ai tenté de contracter mes abdos, mais était-ce vraiment utile ? Puis, son sourire de dingue étiré au maximum, il a armé son poing. Il allait frapper quand la porte par laquelle il était entré quelques minutes plus tôt s'est ouverte. Une danseuse en bikini a fait son entrée.

— Buddy Ray ?

— Tire-toi !

C'était maintenant ou jamais.

Comme je l'ai expliqué, j'ai été entraîné à la lutte. Dans la plupart des écoles d'arts martiaux, on vous apprend à donner des coups avec le poing, le tranchant de la main ou les pieds, à saisir une prise ou à l'esquiver. Mais un combat, c'est avant tout une affaire de tactique. De distraction, de camouflage, de surprise et de timing. La fille qui venait d'ouvrir la porte avait détourné l'attention de moi pendant une courte seconde.

Je devais agir sur-le-champ.

Derrick le videur me tenait toujours d'une poigne de fer, mais nous faisions presque la même taille. J'ai baissé la tête, menton sur la poitrine, puis je l'ai projetée de toutes mes forces en arrière. Mon crâne a atterri sur son nez telle une boule de bowling. J'ai entendu un craquement, comme si quelqu'un marchait sur un nid d'oiseau sec.

Derrick a crié et m'a lâché. Pas le temps de lui donner un coup supplémentaire. Il y avait une porte ouverte à l'endroit où se tenait la danseuse. Sans hésiter, avant que l'un des deux hommes puisse réagir, j'ai sauté par-dessus le bureau, arrachant au passage mon portable des mains d'un Buddy Ray tétanisé, et je me suis précipité vers la porte.

La danseuse était sur mon chemin. Ce qui signifiait que j'allais devoir la renverser. Une seconde perdue pouvait faire la différence entre m'en sortir ou pas. Je ne voulais pas la blesser, mais je n'avais pas la place de passer. Heureusement pour nous deux, elle m'a vu arriver et s'est décalée sur la droite.

Je me suis retrouvé dans une espèce de vestiaire. Il y avait des costumes, des boas et plein de danseuses agglutinées devant un miroir. Je m'attendais à ce qu'elles poussent des cris en me voyant apparaître, mais c'est à peine si elles ont levé les yeux.

— Arrêtez-le !

C'était Buddy Ray.

J'ai traversé la pièce en courant, poussé une autre porte et atterri…

… sur scène !

Les clients ont paru stupéfaits de me voir là. Je l'étais tout autant. L'un d'eux a mis sa main en porte-voix et crié :

— Ouhhh !

Des huées ont retenti de partout. Je m'apprêtais à sauter de l'estrade quand j'ai vu les deux autres videurs se précipiter vers moi. J'ai jeté un coup d'œil par-dessus mon épaule : Buddy Ray était là, suivi de Derrick qui se tenait le nez. Du sang lui coulait sur les doigts.

Coincé.

Distraction, camouflage, surprise, timing.

J'ai couru sur la scène en renversant un maximum de bouteilles de bière. Je n'avais pas d'autre plan que de créer le plus de chaos possible pour faire diversion. Les danseuses criaient. Les clients faisaient des bonds en arrière, se cognant les uns aux autres, tirant et poussant. La mayonnaise était sur le point de prendre. Voilà une salle remplie d'hommes ivres et frustrés, qui payaient trop cher pour ce qui se révélait un plan B très pathétique. La testostérone s'est déversée comme la mauvaise bière.

Les coups de poings se sont mis à pleuvoir.

J'ai sauté de l'estrade en enjambant un groupe d'hommes. J'ai atterri sur l'un d'eux, je me suis dégagé et j'ai continué à courir. Derrière moi, la marée humaine formait comme un mur. Buddy Ray et les videurs tentaient de la traverser pour m'atteindre. J'ai tourné la tête, à la recherche d'une issue.

Rien.

Mes poursuivants se rapprochaient.

— Psst ! Par ici.

J'ai repéré la tignasse rouge pompier. Candy. Elle s'était réfugiée sous une table. Plongeant par terre, j'ai rampé vers elle.

Quelqu'un m'a agrippé la cheville, mais je lui ai balancé un coup de pied à l'aveugle pour me libérer. À quatre pattes, j'ai filé vers la fille. Elle a ouvert une sorte de trappe, par laquelle elle s'est glissée. Je l'ai suivie. De l'autre côté, elle s'était déjà relevée et m'a aidé à faire de même.

Nous étions dans une pièce bleue au sol jonché d'une multitude de coussins. Au centre se dressait une petite scène ronde, avec une barre verticale au milieu. Entendant du bruit derrière nous, je me suis jeté sur la porte la plus proche, mais Candy m'a arrêté.

— Pas par là ! Ça mène au cachot !

Message reçu. Pour le peu que j'en savais, je n'avais aucune envie de visiter cet endroit, merci bien. Je lui ai fait signe de m'indiquer le chemin. Nous avons traversé la pièce en vitesse et poussé une lourde porte coupe-feu métallique.

Enfin à l'air libre !

Candy m'a attrapé par le bras.

— Tu ne travailles pas pour Antoine, si ?

— Non. (J'ai sorti mon téléphone.) J'essaie de retrouver cette fille.

Elle a écarquillé les yeux. Pas de doute : elle avait reconnu Ashley.

— Vous la connaissez ? ai-je dit.

— Ashley. Elle était tellement spéciale, tellement intelligente. C'était ma seule amie ici.

Était ?

— Où est-elle ? ai-je demandé.

— Elle est partie, a répondu Candy d'une voix atrocement triste. Quand on monte dans la camionnette d'Antoine, on disparaît pour toujours.

Il y a eu un fracas de l'autre côté de la porte : Buddy Ray et les videurs ne devaient pas être loin.

— Cours ! a dit Candy.

— Attendez ! Qu'est-ce que vous entendez par « elle est partie » ?

— Pas le temps.

— Il faut que je sache.

Elle a posé les mains sur ma poitrine, saisissant mon T-shirt.

— Antoine LeMaire l'a emmenée il y a des mois. La Mort Blanche. Tu ne peux plus rien pour Ashley. Elle a disparu, comme les autres. Tout ce que tu peux faire maintenant, c'est sauver ta peau.

J'ai secoué la tête.

— Elle va dans mon lycée. Elle allait bien la semaine dernière.

Candy a paru stupéfaite. Mais le bruit se rapprochait.

— Cours ! a-t-elle crié, me repoussant et s'enfuyant dans la ruelle. Cours et ne reviens jamais !

Je suis parti dans l'autre direction, vers la rue, courant le plus vite possible.

Je ne me suis arrêté qu'en atteignant l'arrêt du bus 164.

16

Myron n'était pas à la maison.

Tant mieux. J'avais encore les mains tremblantes. Je ne savais pas du tout quoi faire. Impossible de lui en parler – qu'est-ce que je lui dirais ? « Tu vois, je suis entré dans un club de strip-tease avec une fausse pièce d'identité, et là, je me suis fait tabasser par le videur et un type nommé Buddy Ray... » Ben voyons ! Qui croirait un truc pareil ? Je n'avais pas la moindre égratignure. Buddy Ray et Derrick jureraient probablement qu'ils m'avaient mis dehors quand ils s'étaient aperçus que j'étais en possession de faux papiers.

Non, ce n'était pas la solution.

Les mots de Candy ne cessaient de résonner dans ma tête. *Tu ne peux plus rien pour Ashley. Elle a disparu, comme les autres.*

Qu'est-ce qu'elle entendait par là ? Pourquoi affirmait-elle qu'Antoine LeMaire l'avait « emmenée » quelque mois plus tôt ? Et qu'est-ce que c'était que cette histoire de « Mort Blanche » ? Ashley allait au lycée. Elle souriait, riait, se montrait délicieusement timide et... et Candy n'avait-elle pas dit que c'était sa seule amie ?

Qu'est-ce qui se passait ?

Une chose était claire : Ashley avait des secrets. Candy la connaissait. Pire : Buddy Ray la connaissait.

Et maintenant, quoi ?

Qu'avais-je appris ? Pas grand-chose. La réponse, semblait-il, était encore à chercher du côté d'Antoine LeMaire. Je devais le trouver. Ce qui soulevait plusieurs questions. La plus évidente : comment ? Mieux valait éviter de retourner au Plan B. Je pouvais peut-être traîner dans les environs pour mener une espèce de surveillance, mais franchement, quelles étaient mes chances de tomber sur lui ? Deuxième question : une fois que j'aurais trouvé Antoine LeMaire – la Mort Blanche – qu'est-ce que je ferais ?

J'ai mis de l'eau à chauffer pour me préparer des pâtes, en essayant d'envisager la situation dans son ensemble. J'avais l'intuition que quelque chose m'échappait – c'était là, à la périphérie de mon esprit, mais je n'arrivais pas à mettre le doigt dessus. Je me suis assis à la table de la cuisine. J'avais encore mal au ventre à cause du coup reçu.

La petite idée qui me titillait commençait à se préciser. Pour en avoir le cœur net, je suis allé chercher mon ordinateur portable. Je voulais revoir la tête de mon pote Antoine LeMaire quand il avait forcé le casier d'Ashley. Je me suis repassé la vidéo. LeMaire ouvre le casier, regarde à l'intérieur, le trouve vide, s'énerve. Au deuxième visionnage, j'ai compris ce qui me chiffonnait.

Le casier était déjà vide.

LeMaire avait espéré y trouver quelque chose – mais ce qu'il cherchait avait déjà disparu. Ce qui signifiait probablement qu'Ashley l'avait vidé elle-même. Mais quand ? Je me suis demandé s'il serait possible de le voir sur la vidéo, juste avant qu'elle quitte le lycée. Car si elle avait fait le ménage de son casier, c'est qu'elle avait prévu de s'enfuir – qu'elle n'avait pas été assassinée, n'avait pas rencontré la Mort Blanche ou quel que soit le sort horrible réservé à une fille liée au Plan B.

J'ai aussitôt appelé Spoon. Il a répondu à la première sonnerie. Je m'attendais à ce qu'il me sorte une de ses répliques farfelues, mais il m'a surpris.

— Tu as trouvé Antoine ? m'a-t-il demandé.

— Quoi ?

— Tu nous prends pour des débiles, Ema et moi ? Franchement, tu croyais qu'on allait gober ton histoire de match de basket ?

Je n'ai pas pu m'empêcher de sourire.

— Non, je ne l'ai pas trouvé.

— Qu'est-ce qui s'est passé ?

— Je te raconterai demain. En attendant, j'ai un service à te demander.

Je lui ai expliqué ma théorie selon laquelle il était important de visionner la dernière visite d'Ashley à son casier.

— Hum... mais on ne sait pas quand c'était, a dit Spoon.

— Non.

— Ça a pu se passer pendant la journée.

— Possible.

— Bon, on doit pouvoir faire défiler la bande en marche arrière rapide. Si je réussis à accéder une fois encore aux fichiers de la sécurité.

— Ça t'embête ?

— J'adore le danger.

Spoon a raccroché. Trois minutes plus tard, Ema appelait.

— Tu as dîné ?

— Je m'apprêtais à me faire des pâtes.

— Tu connais le Baumgart ?

— Oui.

Et pour cause : c'était le restaurant préféré de mon oncle.

— Retrouve-moi là-bas.

Sa voix avait une inflexion étrange, que je ne lui avais jamais entendue.

— Je n'ai pas trouvé Antoine.

— Je sais. Spoon me l'a dit. Mais ce n'est pas de ça que je veux te parler.

— Qu'est-ce qui se passe ?

— J'ai fait des recherches à propos de la tombe.

— Et ?

— Et il y a vraiment un problème, Mickey.

Il y a un demi-siècle, Baumgart était un *deli* juif et marchand de soda à l'ancienne – le genre d'endroit où mon père commandait peut-être un sandwich au pastrami et pain de seigle, tandis que les enfants s'asseyaient au comptoir en Formica en attendant de se faire servir une limonade. Dans les années 1980, un chef chinois avait racheté l'établissement. Au lieu de tout changer, au risque de perdre sa clientèle, il avait gardé toutes les spécialités juives et la machine à soda, et simplement ajouté des plats chinois au menu. Ça faisait un drôle de mélange. Depuis, trois autres Baumgart avaient ouvert dans différentes villes du New Jersey.

Ema était installée dans un box d'angle, devant un milk-shake au chocolat. Dès que je me suis assis en face d'elle, la serveuse est passée prendre notre commande : nouilles chinoises aux cacahouètes – le plat préféré de Myron – ainsi qu'un truc appelé « crêpe de canard grésillant » pour Ema. Poulet Kung Pao avec un milk-shake pour moi.

— Bon, raconte-moi ce qui s'est passé quand tu es parti chercher Antoine LeMaire, a-t-elle attaqué.

— Toi d'abord.

Ella a joué avec la paille de son milk-shake.

— J'ai encore besoin d'un peu de temps pour démêler tout ça. (Elle a avalé une gorgée et s'est calée sur la banquette.) Au fait, rends-moi service : si tu veux jouer les papas poules avec moi, dis-le.

— OK.

— Mais arrête de mentir.

— Tu as raison. Je suis désolé.

— Bien. Alors, qu'est-ce qui s'est passé avec Antoine ?

Je lui ai raconté ma visite au Plan B. Quand la serveuse nous a apporté nos plats, aucun de nous deux n'y a prêté attention. À la fin de l'histoire, Ema a déclaré :

— Je ne vais même pas faire « ouah ! ». On est au-delà du « ouah ! ». Là, c'est un « ouah » gonflé aux stéroïdes. Un « ouah » à la puissance dix.

Le parfum du poulet m'a chatouillé les narines, et je me suis soudain rendu compte que je mourais de faim. J'ai attrapé ma fourchette et attaqué.

— Tu en déduis quoi ? Que ta sage et douce Ashley était danseuse dans un club de strip-tease ?

J'ai haussé les épaules.

— Et toi, qu'est-ce que tu as appris à propos de cette pierre tombale ?

Elle a blêmi.

— Ça concerne la femme chauve-souris.

J'ai attendu la suite. Mais elle hésitait.

— Ema ?

— Oui ?

— Au moment où le commissaire Taylor m'a embarqué, j'ai aperçu la vieille à sa fenêtre. Elle essayait de me dire quelque chose. (J'ai vu Ema plisser les yeux.) Je ne peux pas le jurer, mais je crois qu'elle me disait de sauver Ashley. Je sais que ça paraît dingue. Mais quoi que tu aies découvert, il faut que tu m'en parles.

— OK. Bon, comme on avait déjà identifié la citation de Jefferies, j'ai fait des recherches sur l'autre truc. L'enfance perdue pour des enfants.

— Et ?

— Je n'ai rien trouvé sur cette citation en particulier, mais je suis tombée sur un site consacré à... (Elle s'est interrompue et a secoué la tête, comme si elle avait du mal à croire à ce qu'elle allait dire.) À l'holocauste.

Je me suis figé, ma fourchette suspendue en l'air.

— Pendant la Seconde Guerre mondiale ?

— Oui.

— Où est le rapport ?

— Il parlait d'un groupe d'enfants juifs qui ont participé à la résistance clandestine en Pologne. Certains avaient échappé aux camps de la mort et vivaient dans les bois. Ils combattaient les Nazis en secret. Des gamins, tu te rends compte ? Ils faisaient par exemple entrer de la nourriture dans le ghetto de Lodz. Ils ont même réussi à sauver quelques enfants qu'on conduisait au camp d'Auschwitz.

J'ai attendu la suite. Ema a aspiré une longue gorgée de milk-shake.

— Je ne comprends toujours pas, ai-je dit. Quel est le rapport avec la tombe dans le jardin de la femme chauve-souris ?

— Tu as entendu parler d'Anne Frank, n'est-ce pas ?

Bien sûr. Non seulement j'avais lu son *Journal*, mais à l'âge de 12 ans, mes parents m'avaient emmené visiter la maison où elle s'était cachée, à Amsterdam. Deux choses en particulier s'étaient gravées dans ma mémoire : la bibliothèque amovible qui cachait l'entrée de l'annexe secrète où avait vécu la famille Frank ; et la citation d'Anne Frank que l'on voit en quittant ce lugubre mémorial : « Je continue à penser que malgré tout les hommes sont foncièrement bons. »

— Eh bien, il y a eu une autre fille, a poursuivi Ema. Une jeune Polonaise de 13 ans appelée Lizzy Sobek, qui s'est échappée d'Auschwitz et est entrée dans la résistance.

Ce nom ne m'était pas inconnu.

— Je crois avoir lu quelque chose sur elle.

— Moi aussi. On en a parlé en cours d'histoire, en quatrième. La famille de Lizzy Sobek a été exterminée à Auschwitz, mais elle a réussi à s'enfuir. Apparemment, elle aurait sauvé des centaines de gens. D'après les archives, au mois de février, Lizzy a organisé une attaque pour ralentir un train de marchandises rempli de Juifs en route pour les camps de la mort. Plus de cinquante personnes se sont échappées et sont allées se cacher dans les bois enneigés – presque tous avaient moins de 15 ans. Et certains de ces rescapés ont affirmé que lorsqu'ils se sont enfuis… (Ema s'est interrompue le temps de prendre une profonde inspiration.)… ils ont vu des papillons.

— Des papillons ?

— En février. En Pologne. Des papillons. Des centaines de papillons qui les ont guidés en lieu sûr.

J'en suis resté sans voix.

— C'est la raison pour laquelle Lizzy Sobek a été surnommée le Papillon.

Il se peut que j'aie secoué la tête, mais je ne pourrais pas en jurer. Je savais que nous pensions la même chose. Un papillon – comme sur les T-shirts de la vieille photo, comme sur la tombe de mon père, comme sur la pierre tombale dans le jardin de la femme chauve-souris. Ça ne pouvait pas être une coïncidence.

— Lizzy Sobek, ai-je dit, avant de sentir mon sang se figer dans mes veines. Lizzy pourrait être le diminutif d'Elizabeth.

— C'est le cas, a dit Ema.

Elizabeth Sobek. E.S. Les initiales sur la pierre tombale. Encore une coïncidence ? J'ai posé la question évidente :

— Qu'est devenue Lizzy Sobek ?

— C'est ça, le problème. Personne ne le sait vraiment. La plupart des historiens pensent qu'elle a été capturée durant un raid pour libérer un groupe d'enfants qui mouraient de faim près de Lodz. Puis qu'elle a été fusillée en même temps que d'autres résistants et enterrée dans une fosse commune, probablement en 1944. Mais il n'y a aucune preuve.

— Une enfance perdue pour des enfants. L'expression prend tout son sens.

— Oui. Mais il n'y a pas que ça.

J'ai attendu. Dans le restaurant, l'activité battait son plein. Des gens entraient et sortaient, mangeaient, riaient, pianotaient sur leur portable. Mais pour nous, ils n'existaient plus. La salle se réduisait à ce box – il n'y avait qu'Ema, moi et le fantôme d'une fille courageuse, morte depuis longtemps : Lizzy Sobek.

— J'ai fait plein de recherches sur ces nombres – ceux qui sont gravés en bas de la pierre tombale et qu'on retrouve sur la plaque d'immatriculation, a dit Ema. Le A30432. Mais sans résultat.

Je me suis abstenu de tout commentaire. Si vraiment elle n'avait rien trouvé, elle n'aurait pas eu les larmes aux yeux.

— J'ai donc poursuivi mes recherches sur Lizzy Sobek, a repris Ema en sortant un morceau de papier de sa poche. J'ai trouvé un site sur sa vie, avec des questions/réponses.

Elle a déplié le papier et l'a fait glisser sur la table. Je l'ai pris et j'ai lu :

Question 8 : Quel numéro a été tatoué sur le bras de Lizzy Sobek au camp de concentration ?

Cela demeure un mystère. La plupart des gens croient, à tort, que tous les déportés dans les camps nazis ont été tatoués. En réalité, cette pratique n'était systématique qu'au complexe concentrationnaire d'Auschwitz (comprenant les camps d'Auschwitz 1, d'Auschwitz-Birkenau et de Monowitz). Le 12 septembre 1942, Lizzy, son père, Samuel, sa mère, Esther, et son frère, Emmanuel, ont été embarqués dans un train de marchandise à destination d'Auschwitz-Birkenau. Le train est arrivé à destination le 13 septembre 1942, avec 1 121 Juifs à son bord. Hommes et femmes ont été séparés. Les femmes de ce convoi, parmi lesquelles Lizzy et Esther, se sont vues tatouer des numéros compris entre A-30380 et A-30615. Les registres indiquant les chiffres exacts n'ont pas été conservés, de sorte que, jusqu'à ce jour, le numéro que portait Lizzy Sobek sur l'avant-bras demeure inconnu.

À présent, moi aussi j'avais les larmes aux yeux.

— On a donc résolu ce mystère ?

— C'est possible.

— Ce qui nous conduit à un autre…

— Comment la femme chauve-souris connaissait-elle ce numéro ?

— Et pourquoi cette pierre tombale dans son jardin ?

— Et si…

Emma s'est interrompue. Nous savions tous deux ce qu'elle avait en tête, mais je ne suis pas sûr que nous étions prêts, l'un et l'autre, à l'entendre. Peut-être avions-nous résolu un mystère plus profond qu'un numéro tatoué. Peut-être qu'après toutes ces années, nous avions résolu le mystère de ce qui était réellement advenu de Lizzy Sobek.

17

Le lendemain matin, j'ai appelé ma mère au centre Coddington. La standardiste m'a mis en attente. Après deux sonneries, quelqu'un a décroché.

— Mickey ?

Ce n'était pas ma mère, mais la directrice du centre, Christine Shippee.

— Je veux parler à ma mère.

— Et moi, je veux prendre une douche avec Brad Pitt, a-t-elle répondu. Désolée, je te l'ai dit, aucun contact.

— Vous n'avez pas le droit de l'empêcher de me voir.

— En fait, si, Mickey, j'ai le droit. D'ailleurs, à ce propos, il faut qu'on parle tous les deux. Tu sais ce qu'est un facilitateur ?

Encore cette question !

— Ce n'est pas moi qui lui ai fourni de la drogue.

— Non, mais tu es trop laxiste sur le sujet. Tu dois être plus ferme avec elle.

— Vous ne savez pas ce qu'elle a enduré.

— Mais bien sûr que si. Son mari est mort. Son fils unique grandit. Elle n'a pas de perspectives d'avenir. Elle est effrayée, seule et déprimée. Quoi, tu t'imagines que ta mère est la seule ici à avoir une histoire chaotique ?

— Votre sympathie me va droit au cœur. Pas étonnant que vos patients vous adorent.

— J'ai été comme eux, Mickey. Une droguée manipulatrice. Je sais comment ça fonctionne. Passe la semaine prochaine et nous parlerons. En attendant, va au lycée.

Et elle a raccroché.

Au bahut, les cours de la matinée avaient été remplacés par une conférence d'éducation civique rassemblant tous les élèves. Je ne me souviens pas vraiment de ce qui s'y est dit. Deux politiciens locaux ont tenté « d'instaurer le dialogue » avec nous, ce qui impliquait pas mal de condescendance et un ennui mortel. J'ai passé mon temps à observer la salle et à échanger des regards avec Rachel.

Au déjeuner, je me suis installé à ce qui était en train de devenir notre table attitrée, à Ema et à moi. Spoon manquait à l'appel. Pour une fois, nous avons essayé de parler des nouvelles sorties cinéma, de la musique qu'on écoutait ou de nos émissions de télé préférées – mais on en revenait toujours à l'Holocauste et à une jeune fille héroïque nommée Lizzy Sobek.

À un moment, j'ai repéré Troy et Buck à l'autre bout de la cafèt'. Ça n'étonnera personne si je dis qu'ils m'ont lancé un petit sourire narquois. L'air entendu, Troy s'est mis à battre des bras comme si c'étaient des ailes en poussant des piaillements.

— Une chauve-souris, a dit Ema. Super malin, le mec.

Son père avait dû lui parler de mon arrestation, et c'était sa façon subtile de nous montrer qu'il était au courant. En réponse, j'ai fait semblant de bâiller. Troy m'a lancé un regard noir, avant de passer le pouce sur son cou, geste universel des attardés pour dire « T'es mort ».

Sans intérêt. Je me suis détourné.

— Tu sais où est Spoon ? ai-je demandé à Ema.

Comme elle avait la bouche pleine, elle a fait un geste de côté. Il se précipitait vers nous, un portable ouvert dans les mains. Mme Owens l'a intercepté.

— On marche, on ne court pas.

Il s'est excusé. Arrivé à notre table, il était à bout de souffle et avait les yeux qui lui sortaient de la tête.

— C'est dingue !

— Quoi ?

Il a posé son ordinateur sur la table.

— Oh, mon vieux, vous allez trop vouloir voir ça !

— Qu'est-ce que c'est ?

— Tu ne m'avais pas demandé de visionner la vidéo de surveillance du casier d'Ashley ?

— Si.

— Je n'ai fait que ça depuis hier soir. Vous n'allez pas le croire.

La sonnerie a retenti. Tout le monde s'est levé pour gagner la sortie, sauf nous trois. J'ai poussé ma chaise pour faire de la place à Spoon, qui s'est assis entre nous deux.

— Donc, a-t-il commencé, j'étais en train de faire ce que tu m'as demandé, c'est-à-dire vérifier la vidéo, OK ? J'ai démarré au moment où le Tatoué forçait le casier, puis je suis reparti en arrière jusqu'à ce que je trouve le dernier moment où le casier d'Ashley avait été ouvert.

Il s'est interrompu et a remonté ses lunettes.

— Et ? ai-je demandé.

— Regarde.

Il allait lancer la vidéo quand Mme Owens s'est raclé la gorge de manière ostensible.

— La cloche a sonné, a-t-elle dit d'un ton sec.

— On n'en a que pour une minute, ai-je répondu.

Mauvaise réponse.

— Ce n'est pas à nous de nous adapter à vos horaires, monsieur Bolitar. Vous avez entendu la sonnerie. Ça signifie que vous devez quitter la salle. Vous n'êtes pas différent des autres.

J'ai tenté un vieux classique :

— C'est pour les cours.

— Et quand bien même ce serait un remède contre le cancer, je m'en moque, a dit Owens, et sur ce point je la croyais.

Elle a refermé l'ordinateur d'un coup sec, faisant sursauter Spoon.

— Vous avez eu toute l'heure du déjeuner pour en parler. Maintenant, filez d'ici ou je vous fiche une heure de colle.

— Vous avez maltraité mon ordinateur, a déclaré Spoon.

— Je vous demande pardon ?

— Je suis sûr que vous avez abîmé le disque dur.

— Vous contestez mon autorité, jeune homme ?

Comme il ouvrait la bouche pour répliquer, je lui ai donné un coup de pied suffisamment fort pour qu'il la referme. Je me suis levé et l'ai entraîné derrière moi. On a quitté la cafétéria tous les trois. Dans le couloir, on a rapidement discuté de nos emplois du temps respectifs. J'avais cours d'anglais. Spoon une heure d'étude et Ema sport.

— Mais je comptais sécher de toute façon, a-t-elle dit.

Spoon nous a emmenés jusqu'à un réduit réservé au concierge, à l'étage en dessous. On s'est serrés autour du portable. Il a cliqué sur « play » en disant :

— Regardez.

Sur l'écran, le casier d'Ashley est apparu, au moment où des mains le vidaient et plaçaient son contenu dans un sac à dos.

J'en suis resté bouche bée.

— Je le savais ! a dit Ema. Je t'avais prévenu, pas vrai ?

Ashley n'avait pas vidé son propre casier. Pas plus qu'Antoine LeMaire ou Buddy Ray ou Derrick le videur. La personne qui avait ouvert le cadenas à code et emporté les affaires d'Ashley n'était autre que Rachel Caldwell.

La surprise a presque immédiatement laissé place à la colère.

J'étais furieux. Plus que ça, même. Non seulement je me sentais trahi, mais j'avais aussi l'impression d'être le dernier des imbéciles. On en veut aux gens qui nous blessent ou nous déçoivent – mais plus encore à ceux qui nous ridiculisent.

Or là, je me faisais l'effet d'être le pire des pigeons.

Rachel Caldwell m'avait fait son regard de biche et je m'étais laissé embobiner.

À vos dictionnaires des synonymes, les gars. Imbécile. Loser. Crétin. Moi !

Dans ma tête, je me suis repassé chacun de ses sourires, de ses regards timides, de ses petits rires.

Tous faux ! Que du bidon ! Comment avais-je pu me laisser prendre par son numéro ?

Ema, elle, paraissait ravie.

— Je t'avais dit qu'on ne pouvait pas lui faire confiance.

Je n'ai rien répondu.

Spoon a remonté ses lunettes.

— Ce qu'on voit sur cette vidéo ne change rien au fait essentiel.

— Et c'est quoi, le fait essentiel ?

— Que Rachel Caldwell est la fille la plus canon de la création.

Ema a levé les yeux au ciel.

La dernière sonnerie a retenti. C'était le moment de nous séparer. Spoon et moi avons rejoint nos salles de cours et Ema est partie... Dieu sait où.

J'avais M. Lampf en anglais. Une fois assis au fond de la classe, j'ai ouvert mon cahier, mais c'est à peu près tout ce dont je me souviens de cette heure de cours. Je bouillais encore de rage. Enfin, au bout d'un certain temps, j'ai laissé la question la plus évidente, et la plus importante, percer le nuage de ma fureur : quel rôle Rachel Caldwell pouvait-elle bien jouer dans tout ça ?

J'ai élaboré un million de scénarios, mais aucun ne tenait la route. La logique ne m'étant d'aucune utilité, je me suis de nouveau laissé envahir par la colère. Elle me faisait du bien. Et elle m'a rappelé que Rachel Caldwell se trouvait en ce moment même dans le bâtiment. Elle m'a rappelé que je pouvais aller voir cette fille pour l'acculer à dire la vérité.

Quand la cloche a sonné, je me suis dépêché de sortir. Rachel avait cours de maths avec Mme Cannon. Je le savais parce que… je le savais, c'est tout. La salle de classe de Mme Cannon se trouvait au milieu de ce couloir. J'avais souvent aperçu Rachel à cet endroit à l'interclasse. Et, oui, je l'avais regardée, OK ?

J'ai parcouru le couloir et je l'ai repérée, de dos, qui s'éloignait. Ses cheveux paraissaient se mouvoir en un ralenti parfait, comme dans une pub pour shampoing. Je me suis précipité derrière elle, fendant la mer d'élèves. Alors qu'elle s'apprêtait à tourner à l'angle du couloir, j'ai posé la main sur son épaule, peut-être un peu trop brusquement. Elle a fait volte-face, surprise, mais dès qu'elle a vu que c'était moi, elle m'a adressé l'un de ses magnifiques sourires qui font l'effet d'un coup de poing à l'estomac.

— Salut, Mickey ! s'est-elle exclamée, comme si rien ne lui faisait plus plaisir que de me voir.

Cette fille méritait un Oscar.

— Où est Ashley ?

Le sourire de Rachel s'est éteint comme une bougie qu'on souffle. Elle a tenté de le ranimer, mais ce n'était plus qu'une flammèche vacillante.

— Qu'est-ce que tu veux dire ?

— Tu as ouvert son casier et pris tout ce qu'il y avait à l'intérieur. Pourquoi ?

— Je ne vois pas de quoi tu parles.

Bon sang, comment avais-je pu me laisser duper ? Elle ne mentait même pas de manière convaincante.

— Je t'ai vue.

— Impossible.

— Sur la caméra de surveillance. Je t'ai vue ouvrir le casier d'Ashley et le vider.

Elle a jeté un coup d'œil à droite, puis à gauche.

— Je dois aller en cours.

Rachel a voulu s'éloigner. Sans réfléchir, je lui ai saisi le bras pour l'immobiliser.

— Pourquoi est-ce que tu m'as raconté des salades ?

— Lâche-moi.

— Où est Ashley ?

— Mickey, tu me fais mal !

Je l'ai lâchée. Elle s'est frotté le bras. Des élèves passaient à côté de nous en chuchotant.

— Excuse-moi, ai-je dit.

— Je dois y aller.

Elle est partie vers sa salle de classe.

— Je ne vais pas en rester là, Rachel !

Elle s'est arrêtée et tournée vers moi.

— Je peux t'expliquer.

— Je t'écoute.

— Retrouve-moi après les cours. Seul. Sans Ema et Arthur. Je te raconterai tout.

18

Le reste de la journée s'est étiré en longueur. Je n'arrêtais pas de regarder la pendule, mais l'aiguille des minutes paraissait engluée dans de la mélasse. J'essayais d'imaginer comment Rachel pouvait être impliquée dans l'histoire, mais l'inspiration me manquait. De toute façon, il ne servait à rien de spéculer : encore quelques heures et je saurais.

Cinq minutes avant la fin des cours – cinq minutes avant que je retrouve Rachel et entende ses explications –, l'interphone a résonné dans la classe de physique. M. Berlin a décroché, écouté son correspondant et annoncé :

— Mickey Bolitar ? Vous êtes attendu au bureau de M. Grady.

La classe a poussé un « oooh » collectif.

Je n'avais pas encore rencontré M. Grady, mais je savais qui il était. Pour moi, c'était avant tout l'entraîneur de l'équipe de basket du lycée. Un homme que j'espérais vite connaître assez bien. Mais la raison des « oooh » était liée à son vrai métier : proviseur adjoint en charge de la discipline – le père fouettard du bahut.

J'ai rassemblé mes affaires pour rejoindre son bureau, sans angoisse excessive. Aussi présomptueux que cela puisse paraître, j'étais persuadé que M. Grady voulait seulement faire ma connaissance et m'accueillir au lycée. Certes, pour ce qui était du basket, j'avais jusqu'ici fait profil bas, mais compte tenu de ma taille et de mon pedigree, et vu que ça papotait beaucoup autour des matchs de Newark, il aurait été surprenant que Grady n'ait pas au moins entendu parler de moi.

C'était là, je l'espérais, la raison de ma convocation.

Sauf si je me trompais...

Avait-il quelque chose à me reprocher ? Je ne voyais pas quoi. J'ai repensé à la façon dont j'avais saisi le bras de Rachel dans le couloir. Supposons que quelqu'un l'ait vu et soit allé le rapporter au proviseur adjoint. Non, ça ne pouvait pas être ça. Il serait allé voir l'intéressée qui lui aurait dit que ce n'était rien.

N'est-ce pas ?

Arrivé devant sa porte, j'ai frappé.

— Entrez.

Assis derrière son bureau, M. Grady m'a observé par-dessus ses lunettes de lecture. Sa chemise à manches courtes, sûrement à sa taille quelques années plus tôt, lui faisait maintenant comme un garrot autour du cou et du torse. Il s'est levé et a remonté sa ceinture. Il portait un pantalon vert olive. Ses cheveux très clairsemés étaient coiffés en arrière et collés à son crâne.

— Mickey Bolitar ?

— Oui.

— Assieds-toi, jeune homme.

J'ai jeté un coup d'œil à la pendule derrière lui. Je n'avais vraiment pas beaucoup de temps. Les cours finiraient dans deux minutes – dans deux minutes, je me confronterais à ma belle menteuse. Percevant mon hésitation, Grady a répété avec un peu plus d'autorité dans la voix :

— Assieds-toi.

J'ai obéi.

— Tu joues au basket ? m'a-t-il demandé.

Ah ! Donc, j'avais raison.

— Oui.

— Ton oncle était un sacré joueur.

— Oui, c'est ce que j'ai entendu dire.

Il a hoché la tête et posé les mains sur sa bedaine. J'aurais voulu accélérer l'entretien, mais je ne savais pas comment m'y prendre.

— Les sélections sont prévues quand ? ai-je demandé, juste histoire de dire quelque chose.

— Dans deux semaines. Lundi pour l'équipe d'élite, c'est pour les premières et terminales. Mardi pour l'équipe junior, avec les troisièmes et les secondes. (Il a soutenu mon regard avant de poursuivre.) Je ne suis pas pour faire jouer les secondes en équipe d'élite, sauf exception. En fait, depuis douze ans que je suis entraîneur ici, ça n'est jamais arrivé, et avec tous ces vétérans...

Il n'est pas allé au bout de sa pensée. Inutile. Je sais depuis longtemps qu'on ne doit pas parler de son jeu – son jeu parle pour soi. Je me suis donc contenté de hocher la tête.

La dernière sonnerie a retenti. J'ai commencé à me lever, pensant qu'on en avait fini, quand Grady a repris :

— Mais ce n'est pas pour ça que je t'ai convoqué. Ça n'a rien à voir avec le basket.

Comme il attendait que je réponde, j'ai dit :

— Ah ?

— On m'a informé que tu as eu une altercation physique avec un autre élève.

J'ai dû paraître perplexe, car il a cru bon de préciser :

— Troy Taylor. Sur le parking du lycée.

Il ne manquait plus que ça ! J'ai hésité à répondre « C'est lui qui a commencé ! », mais m'en prendre au capitaine de l'équipe de basket ne paraissait pas la meilleure façon d'entamer une relation avec un nouveau coach. J'ai donc préféré me taire.

— Tu veux m'en parler ?

— Ce n'était rien. Un malentendu. Tout est réglé.

— Je vois. (Le proviseur adjoint s'est mis à jouer avec son stylo.) Je ne sais pas où tu étais scolarisé avant, Mickey, mais dans cet établissement, la bagarre est strictement interdite. Si tu poses la main sur un autre élève, c'est une exclusion temporaire immédiate, avec possibilité de renvoi définitif. Me suis-je bien fait comprendre ?

— Oui, monsieur.

J'ai levé les yeux vers l'horloge, je n'ai pas pu m'en empêcher. Grady s'en est rendu compte.

— Tu es pressé, jeune homme ?

— J'ai un rendez-vous après les cours.

— Tu vas devoir l'annuler.

— Pardon ?

— Je vais être indulgent pour cette fois. Une heure de colle. Aujourd'hui.

— C'est impossible aujourd'hui.

— Et pourquoi ?

— J'ai un rendez-vous vraiment important.

— Tu vis chez ton oncle, n'est-ce pas ?

— Oui.

Grady a décroché le téléphone sur son bureau. L'appareil, gros et lourd, paraissait tout droit sorti d'un film en noir et blanc diffusé sur le câble.

— Donne-moi son numéro. Je vais l'appeler pour lui expliquer pourquoi tu seras en retard. S'il me confirme que c'est une urgence et que tu ne peux pas rester en colle aujourd'hui, alors très bien, tu resteras demain.

La panique m'a délié la langue :

— Troy avait pris l'ordinateur de mon amie. C'est lui qui m'a agressé le premier. Je n'ai fait que me défendre.

Grady a levé un sourcil.

— C'est vraiment comme ça que tu veux la jouer, jeune homme ?

Non. Je me suis calmé. De toute façon, je n'avais pas le choix. Je lui ai demandé si je pouvais taper un texto rapide avant d'aller en colle. Il a accepté. J'ai envoyé un message à Rachel, disant que je ne sortirais qu'une heure plus tard et lui demandant si elle pouvait m'attendre.

Elle n'a pas répondu.

C'était la première fois que j'avais une colle, mais il est vrai aussi que c'était ma première année au lycée en Amérique. Je me suis vite rendu compte qu'il s'agissait d'une heure de pur ennui. On reste assis dans la salle utilisée pour les cours de conduite. Pas de téléphone, pas de gadgets ni de livres. Rien. La plupart des collés ont piqué un roupillon, la tête posée sur leur table. Moi, j'ai contemplé le sol, cherchant des motifs sur les dalles. Puis j'ai lu tous les messages de prévention affichés aux murs, sur les dangers de l'alcool au volant, de l'utilisation du portable et de la vitesse excessive.

Pensant à mon père et à notre accident, je me suis demandé si le conducteur du 4x4 qui nous avait percutés avait bu, s'il téléphonait en conduisant ou roulait trop vite. J'ai repensé à l'ambulancier aux cheveux blond vénitien et aux yeux verts, à l'expression de son visage qui me disait que ma vie ne serait jamais plus comme avant.

Quand l'heure est enfin passée – l'heure la plus longue qui soit –, j'ai récupéré mon portable pour voir si j'avais des messages.

Aucun de Rachel.

Abattu, je me suis dirigé vers la sortie – et elle était là.

— Merci de m'avoir attendu.

Rachel n'a pas répondu. Elle avait l'air distraite et mal à l'aise.

— Donc, tu devais m'expliquer.

— Tu m'as dit que tu m'avais vue sur une vidéo de surveillance, c'est ça ?

En réalité, elle n'était pas distraite, elle avait peur, ça me paraissait maintenant évident.

— Oui, c'est ça.

— Comment ? Comment as-tu pu voir les vidéos de sécurité ?

J'ai secoué la tête. Je ne lui faisais pas suffisamment confiance pour impliquer Spoon.

— Ce n'est pas important.

— Ça l'est pour moi. D'autres gens sont au courant ?

— Qu'est-ce que ça peut faire ?

— Pourquoi as-tu voulu visionner cette vidéo ?

— Je te l'ai dit. Je cherche à savoir ce qui est arrivé à Ashley. Pourquoi as-tu ouvert son casier ?

— À ton avis ?

— Je n'en ai pas la moindre idée. Tu m'as dit que tu la connaissais à peine.

— C'est vrai.

— Et pourtant, tu as vidé son casier.

Rachel a détourné les yeux et secoué la tête.

— Tu ne comprends pas.

— Alors, explique-moi. Et pendant que tu y es, explique-moi aussi pourquoi tu as fait semblant d'être mon amie.

— Ashley me l'a demandé.

— Ashley t'a demandé de faire semblant d'être mon amie ?

Rachel a soupiré, comme s'il n'y avait aucun moyen que je comprenne.

— Elle voulait que je me renseigne. Que je m'assure que tu allais bien.

— Que j'allais bien ? (J'avais la tête qui tournait.) De quoi tu parles ?

— Ashley ne voulait pas que tu aies de problème. Elle ne voulait pas que tu t'en mêles.

— Que je me mêle de quoi ?

— Ce n'est pas à moi d'en parler. Elle m'a demandé de ne rien te dire.

Mon cœur s'est mis à accélérer.

— Attends ! Ashley t'a dit ça ?

— Oui.

— Donc, tu sais où elle est ?

Elle n'a pas répondu.

— Rachel ?

Elle a lentement tourné la tête vers moi et soutenu mon regard. Je savais que j'aurais dû me méfier maintenant, mais si elle jouait la comédie, si elle me menait en bateau... Non. On dit que les yeux ne mentent pas. Or ce que je voyais dans son regard, ce n'était pas de la duplicité.

— Oui, a-t-elle fini par dire. Je sais où est Ashley.

— Où ?

— Viens. Je vais te montrer.

19

Nous avons marché un moment en un silence. J'ai attendu qu'elle me fournisse spontanément quelques informations. Comme elle ne semblait pas décidée, j'ai fini par demander :

— On va où ?

— Chez moi.

— Ashley est là-bas ?

Elle a fait une tête qui signifiait peut-être que oui.

— Tu verras.

— Qu'est-ce que ça veut dire ? Qu'est-ce qui s'est passé ?

— Ashley t'expliquera.

— Je préférerais l'entendre de ta bouche.

— Comme je te l'ai dit tout à l'heure, ce n'est pas à moi de te le raconter.

Le silence est retombé. Au bout d'un moment, elle a repris :

— Mickey ? Je ne faisais pas semblant d'être ton amie. C'est vrai qu'Ashley m'a demandé de m'assurer que tu allais bien, et c'est peut-être pour ça que je t'ai parlé au début, mais ensuite… (Elle s'est interrompue, gardant les yeux rivés au trottoir.) Peu importe.

J'aurais voulu faire quelque chose, lui prendre la main, par exemple. À cet instant, mon portable s'est mis à vibrer. Un SMS d'Ema : **T où ?**

Je l'ai montré à Rachel.

— Ne réponds pas.

J'ai obtempéré et rangé mon téléphone. La maison de Rachel se dressait en haut d'une colline. Un portail électrique délimitait l'entrée de ce qui semblait une vaste propriété. Rachel a tapé un code sur un clavier, et nous nous sommes engagés dans l'allée.

— Tes parents sont là ?

Un sourire a passé sur son visage.

— Non.

Ce sourire voulait dire quelque chose, mais je ne savais pas quoi.

— Ashley est ici ?

— Oui.

— Où ?

— Dans la dépendance, derrière.

— Elle est là depuis quand ?

— Un peu plus d'une semaine.

— Donc, tes parents sont au courant ?

— Disons que... (Le sourire a reparu, mais cette fois, j'ai vu qu'il était triste.) Disons que mes parents ne sont pas souvent là.

L'endroit tout entier transpirait l'argent. On a contourné la maison, dépassant un patio en marbre et un court de tennis en terre battue. Il y avait une petite maison à côté de la piscine. Je l'ai montrée d'un mouvement du menton.

— Ashley est là ?

— Oui.

J'ai pressé le pas. Enfin, toutes mes questions allaient trouver des réponses. Arrivée devant la porte, Rachel a sorti une clé et l'a introduite dans la serrure.

— Ashley ? a-t-elle appelé.

Pas de réponse.

— Ashley ?

Nous sommes entrés. Le lit était fait. La chambre bien rangée. Mais vide. Rachel a blêmi. Balayant la pièce du regard, j'ai aperçu le mot, posé sur la table de chevet. Je l'ai pris. Rachel l'a lu par-dessus mon épaule.

Rachel,

Désolée de m'enfuir comme ça. Je ne peux pas t'expliquer sans t'impliquer davantage. Merci de m'avoir hébergée, mais je ne peux pas me cacher pour toujours. N'appelle pas la police. Je dois faire ce que j'ai à faire.

Ashley

— Je ne comprends pas, a dit Rachel. Elle était terrifiée.

Nous sommes allés dans la maison principale, avec l'espoir improbable d'y trouver Ashley. Évidemment, elle n'y était pas. La grande demeure semblait aussi vide et silencieuse qu'un mausolée.

— Raconte-moi ce qui est arrivé, ai-je dit à Rachel.

— Il y a un peu plus d'une semaine, nous avons organisé les sélections pour l'équipe de pom-pom girls. Il n'y avait que trois places à pourvoir, mais une cinquantaine de filles se sont présentées. Dont Ashley.

Ça m'a surpris.

— Et comment ça s'est passé ?

— Pas bien. On était trois à choisir les nouvelles recrues : Cathy, Brittany et moi. Personnellement, j'ai trouvé Ashley plutôt bonne. Elle avait un vrai talent. Mais cette audition était, disons, bizarre.

— Comment ça ?

— Ce lycée est assez vieux jeu. Les pom-pom girls effectuent des figures classiques. La plupart des filles nous ont présenté des numéros habituels, avec des acrobaties, des roues, nous ont montré qu'elles étaient capables de participer à une pyramide. Mais Ashley, elle, a dansé. Moi, je l'ai trouvée douée, mais les autres filles…

— Quoi, les autres filles ?

— Elles ont jugé sa prestation un peu… un peu… (Elle s'est interrompue, cherchant le mot juste ou hésitant à le prononcer.) Disons, un peu vulgaire. Pas super vulgaire, mais assez osée pour que les filles se lâchent.

Songeant au Plan B, je n'ai rien dit.

— Donc, Ashley termine son numéro et là, aucun applaudissement. Rien. Elle reste plantée devant nous, nerveuse, à attendre nos commentaires. Et les filles se sont déchaînées. Cathy a commencé en disant : « Il ne manque plus que la barre de strip-tease. » Puis elles s'en sont prises à ses fringues, sa coiffure, tout.

— Qu'est-ce qu'elles ont, ses fringues ?

— Tu es un garçon, c'est normal que tu ne remarques pas ce genre de choses. Elles sont d'occasion.

Je n'en croyais pas mes oreilles.

— Et alors ? Vous vous moquez d'elle parce qu'elle a de vieux vêtements ? Vous êtes snobs à ce point-là ?

Rachel a paru blessée par le « vous ».

— Je ne suis pas snob. Je me fiche que les gens aient de l'argent ou pas. Là n'est pas la question.

— Elle est où, alors ?

— Ses fringues n'étaient pas de seconde main, mais de troisième ou de quatrième main. C'était un genre qu'elle se donnait. Comme si elle était allée dans une friperie pour trouver des affaires BCBG des années 80. Tu as vu son pull monogrammé ?

— Je ne pige toujours pas.

— C'était comme si elle essayait d'être quelqu'un d'autre. Comme si elle était déguisée. Bref, les remarques sont devenues méchantes. Tout le monde s'est mis à se moquer d'elle.

— Toi aussi ?

— Non, a-t-elle répondu aussitôt. (Elle a baissé les yeux et sa voix s'est adoucie.) Mais je ne les ai pas arrêtées non plus. C'est ce que j'aurais dû faire. La pauvre. Elle était là, debout devant tout le monde. Elle ne nous connaissait pas. Elle avait l'air si fragile, et nous, on riait, jusqu'au moment où elle s'est enfuie.

J'ai tenté d'imaginer la scène et ce qu'avait dû ressentir Ashley en entendant ces moqueries.

— Sympa, ai-je dit, essayant d'avoir l'air sarcastique.

— Ouais, je sais.

— Et ensuite, qu'est-ce qui s'est passé ?

— J'ai couru derrière elle. Je voulais m'excuser. Elle a descendu l'allée et je l'ai suivie. Je l'ai repérée dans la rue Mountainside, à environ cent mètres, qui se dirigeait vers l'avenue Northfield. Je l'ai appelée, mais elle ne s'est pas arrêtée. Soit elle ne m'a pas entendue, soit elle m'a ignorée. Et là, il s'est produit un truc bizarre.

— Quoi ?

— Une voiture a freiné à sa hauteur, et un gros type est sorti du côté passager avant même que le véhicule soit arrêté. Ashley a voulu faire demi-tour, mais il s'est jeté sur elle. Tout est allé très vite. Il l'a soulevée et l'a balancée sur son épaule. Elle a crié. J'ai crié aussi. J'ai couru vers eux aussi vite que possible. Je n'ai même pas eu le temps de réfléchir. Je me suis juste élancée en hurlant. Le grand type m'a ignorée. Il a voulu la fourrer à l'arrière de la voiture, mais Ashley résistait. Elle s'est agrippée à la portière. Il avait beau pousser, elle refusait de lâcher prise. Le conducteur de la voiture a crié « Grouille-toi ! » et le gros type a serré le poing comme pour la frapper. À ce moment-là, j'étais tout près. J'ai hurlé de plus belle pour attirer son attention. Puis j'ai sorti mon portable et je l'ai pointé vers lui. « J'ai appelé le 911 et j'enregistre tout. Laissez-la tranquille ! »

— C'était vrai ?

— Quoi donc ?

— Que tu enregistrais ?

— J'aurais bien voulu. Mais il faut entrer dans l'application et sélectionner « enregistrer » et je n'avais pas le temps.

Mon portable a vibré. C'était encore Ema : **T où ??! Important !**

Impossible de répondre maintenant. J'ai fait signe à Rachel de poursuivre.

— Le gros type a fini par se tourner vers moi. Ashley en a profité. Elle lui a donné un coup de pied et il a trébuché vers l'arrière. Elle s'est dégagée et s'est enfuie. Le type a failli lui courir après, mais il m'a vu avec mon portable et a préféré ne pas prendre de risque. Il a sauté dans la voiture. Avant de démarrer, le conducteur a crié d'une voix super angoissante : « Tu ne pourras pas te cacher éternellement, Ash. Tu sais que je te retrouverai. » Et ils ont filé.

— Tu as relevé le numéro de plaque ?

— Oui. Je l'ai mémorisé, puis j'ai rejoint Ashley pour m'assurer qu'elle allait bien. Quand j'ai commencé à composer le 911, elle m'a arrêtée en disant : « Surtout n'appelle pas la police. » Elle avait l'air paniqué.

Les mains sur les genoux, Rachel s'est mise à jouer avec la bague qu'elle portait à l'index droit. Mon portable a vibré une troisième fois. Je ne l'ai même pas regardé.

— Pourquoi elle n'a pas voulu que tu appelles les flics ?

— Elle m'a dit que ce serait pire. Elle m'a suppliée. Que voulais-tu que je fasse ? On est venues ici. Au début, Ashley a refusé d'en parler. Elle n'arrêtait pas de pleurer et de culpabiliser. Je lui répétais que ce n'était pas sa faute, mais elle n'écoutait pas. J'ai proposé d'appeler ses parents. Mais là encore, elle m'en a empêchée. Elle m'a dit que Kent n'était pas son vrai nom. Qu'elle avait cherché des habitants de Kasselton n'ayant pas d'enfants dans le système scolaire, puis fait croire qu'elle était leur fille pour pouvoir s'inscrire au lycée.

— On peut faire ça ?

— Apparemment.

— Donc, les Kent ne la connaissent pas ?

— Je ne crois pas. Elle m'a raconté qu'elle travaillait dans une boîte de nuit affreuse et que, là-bas, tout le monde pensait qu'elle s'était fait kidnapper par une espèce de truand qui l'avait vendue à l'étranger. Mais en fait, elle s'était sauvée.

La traite des Blanches, ai-je pensé, sentant un frisson glacé me parcourir l'échine. Candy m'avait dit qu'Antoine faisait disparaître des filles, évoquant la « Mort Blanche ». Il devait s'agir de ça.

— Elle était donc arrivée ici, à Kasselton, où elle se cachait de son passé en attendant qu'on l'envoie à sa destination définitive.

— Sa destination définitive ?

— C'est ce qu'elle a dit. Qu'elle n'était à Kasselton que de manière provisoire. Mais elle aimait beaucoup vivre ici. Elle m'a dit... elle m'a dit qu'elle n'avait jamais été aussi heureuse. Elle cherchait un moyen de rester pour de bon à Kasselton, mais ils l'ont retrouvée. C'est en cela qu'elle avait commis une erreur, disait-elle.

Nouvelle vibration. J'ai jeté un coup d'œil à mon portable. Oui, encore Ema : **Dois te montrer 1 truc. Promets 2 pas hurler.**

— Le type dans la voiture, ai-je demandé à Rachel. Est-ce qu'il avait un tatouage sur le visage ?

— Non. Il était très grand, à peu près comme toi, mais deux fois plus gros. Et il était noir.

J'ai tout de suite pensé à Derrick, le videur du Plan B.

— Comment l'ont-ils retrouvée ?

— Ashley ne savait pas, mais je crois que j'ai compris. Vous êtes nouveaux, tous les deux, donc vous avez participé au programme de bienvenue de Mme Owens, n'est-ce pas ?

Comment oublier des exercices aussi débiles ?

— Et alors ?

— On reçoit le *Star-Ledger* tous les jours. Ils ont publié un article dessus. Une des photos montrait une espèce de course de relais. On voyait distinctement Ashley.

C'était possible. Le *Star-Ledger* était le plus grand journal de l'État, et il couvrait Newark.

— Donc, vous êtes venues ici. Qu'avez-vous fait, ensuite ?

— Ashley devait se cacher. Je lui ai proposé de rester ici avec moi. (Me voyant ouvrir la bouche, elle a levé la main pour m'arrêter.) Pour répondre à ta question, mes parents sont divorcés. Ma mère vit en Floride. Mon père en est à sa troisième femme ; pardon, à son troisième trophée de chasse. Ils voyagent beaucoup.

— Tu as des frères et sœurs ?

— Un frère aîné. Il va à la fac. On a du personnel à plein temps, mais la femme de ménage ne fait la dépendance que le jeudi.

— Donc, tu l'as installée là ?

— Oui. Ashley craignait que les types qui avaient essayé de l'enlever ne continuent à la chercher. Elle disait qu'ils seraient impitoyables – qu'ils n'hésiteraient pas à s'en prendre à son seul ami ici.

— C'est-à-dire moi.

— Oui. Je suis donc allée récupérer ses affaires et ses cahiers dans son casier. Elle avait noté ton nom et ton numéro de téléphone. Vous aviez échangé des petits mots. Si ces types mettaient la main dessus, ils auraient su que vous étiez proches, tous les deux. Même sans ça, elle n'était pas sûre qu'ils ne t'avaient pas déjà approché.

— C'est pour ça qu'elle t'a demandé de garder un œil sur moi ?

— Oui.

— Tu t'es bien acquittée de ta tâche. Tu m'as même demandé d'être ton partenaire en histoire.

Rachel a regardé le salon ridiculement guindé, comme si elle le voyait pour la première fois. On se serait cru dans un palace européen. On était assis sur un canapé très peu rembourré.

— Pourquoi l'as-tu aidée ? Tu la connaissais à peine. Vous n'étiez même pas amies.

— C'est vrai.

— Et c'était dangereux. Ils avaient vu ton visage. Ils auraient pu te retrouver.

— Je sais.

— Alors, pourquoi ?

Rachel a réfléchi une minute avant de répondre.

— Parce qu'elle avait des ennuis. Parce que je ne l'avais pas défendue à l'audition. Je ne sais pas. Je voulais juste me rendre utile. J'avais le sentiment que c'était la chose à faire. Sans vouloir donner à mon geste plus d'importance qu'il n'en a, j'ai senti que c'était une forme d'engagement.

Je comprenais ce qu'elle voulait dire. Mon père et ma mère vivaient des vies d'engagement. Si on leur avait demandé pourquoi, ils auraient donné une réponse semblable à celle de Rachel.

Mon téléphone a vibré une nouvelle fois. Sans surprise, j'ai encore découvert un message d'Ema. **Voulais te montrer en personne, mais t'envoie l'image. Il est là depuis des mois.**

Il y avait une photo attachée. Pendant un moment, je n'ai pas compris de quoi il s'agissait. C'était un gros plan assez flou. J'ai vu de la peau. J'ai penché un peu la tête, plissé les yeux, et senti mon sang se glacer.

C'était un tatouage bleu et vert. Un tatouage de ce fameux emblème – cette espèce de papillon avec des yeux sur les ailes.

Les mains tremblantes, j'ai tapé : **C'est à qui ?**

La réponse n'est pas arrivée tout de suite. Rachel me regardait. J'attendais. Enfin, une bonne minute plus tard, comme si les lettres mêmes hésitaient, Ema a répondu : **À moi**.

20

Avec mon faux permis de conduire dans mon portefeuille, je suis passé prendre Ema au bout de l'avenue Kasselton. Elle est montée dans la Taurus, penaude.

— Explique-toi, ai-je dit.

— C'était l'idée d'Agent, a commencé Ema avec un débit rapide.

C'est là que nous allions : au Tatouage dans la peau, pour demander des comptes à Agent.

— Cet été, je suis allée le voir pour me faire faire un tatouage. Je voulais un truc spectaculaire. Donc, il a conçu cette œuvre compliquée, avec des volutes et des lettres et... (Elle s'est arrêtée net.) Tu me regardes bizarrement.

— Tu plaisantes ? Bien sûr que je te regarde bizarrement, ai-je dit d'un ton plus cassant que je ne l'aurais voulu. Ce motif apparaît sur une vieille photo dans la maison de la femme chauve-souris. Sur la pierre tombale au fond de son jardin. Quelqu'un l'a dessiné sur un écriteau marquant l'emplacement de la tombe de mon père. Et là, tout d'un coup, tu m'apprends qu'il est tatoué dans ton dos ?

— Je sais. Moi non plus, je ne comprends pas. En fait, le tatouage est assez grand et le papillon n'en forme qu'un petit détail. Il n'était même pas prévu au départ, mais Agent m'a dit qu'il était inspiré.

J'ai secoué la tête.

— Pourquoi tu ne m'en as pas parlé dès que tu l'as vu sur la pierre tombale ?

— Tu t'es enfui, tu te rappelles ? Et ensuite, tu t'es fait arrêter.

— Et hier, chez Baumgart ? Ou aujourd'hui au lycée ?

Ema ne disait rien.

— Allô ?

— Arrête de crier.

— Je ne crie pas, mais... pourquoi tu ne m'en as pas parlé ?

— Et pourquoi tu ne m'as pas dit que tu avais un rendez-vous secret avec miss super sexy, aujourd'hui ? Hein ? (Elle a croisé les bras.) Tu ne me dis pas tout. Je ne te dis pas tout.

— Ema ?

— Quoi ?

— C'est n'importe quoi et tu le sais. Pourquoi tu ne m'as pas parlé du tatouage ?

Ema gardait les yeux braqués droit devant. On se rapprochait du salon d'Agent. Je n'ai pas insisté. Pour l'instant. Mais je voulais comprendre ce qui se passait. J'ai allumé la radio, mais ma passagère l'a éteinte.

— J'avais la trouille, OK ?

— La trouille de quoi ?

Ema a secoué la tête. Elle portait une bague en argent à chaque doigt, ce qui lui donnait un petit côté bohème.

— Pour un mec intelligent, tu es vraiment bouché parfois.

— Ouais. Alors, explique-moi.

— Au début, je n'étais pas sûre. Je me disais que le truc sur la pierre tombale ressemblait à mon tatouage, mais que ce n'était peut-être pas le même.

— Au début, donc.

— Oui.

— Et ensuite ?

Je lui ai lancé un coup d'œil. Une larme coulait sur sa joue.

— À ton avis, j'ai l'air d'avoir beaucoup d'amis ?

Je n'ai pas répondu. Sa voix n'était plus qu'un murmure.

— J'ai eu peur que tu te mettes en colère. Ou que tu m'accuses. Ou que tu ne me croies pas et ne me fasses plus confiance. J'ai cru… (Elle s'est détournée pour que je ne voie pas son visage.) J'ai cru que tu ne voudrais plus être mon ami.

Sa voix fêlée m'est allée droit au cœur. Arrivé au feu suivant, je me suis tourné vers elle.

— Ema ?

— Quoi ?

— Regarde-moi.

Elle a obéi. Elle avait encore les larmes aux yeux.

— J'ai une confiance totale en toi. Et, que ça te plaise ou non, tu es la meilleure amie que j'aie jamais eue.

Il n'y avait plus rien à ajouter après ça. Le reste du trajet s'est fait en silence.

Le Tatouage dans la peau était en pleine effervescence à notre arrivée. Nous avons piqué droit sur le fauteuil d'Agent, au fond du salon, mais il n'y avait personne. J'ai eu beau fixer le siège, comme si je pouvais faire apparaître le tatoueur par la seule force de mon regard, il ne s'est rien passé.

— Mickey ?

Ema désignait un miroir sur le bureau d'Agent. Là, scotché dans le coin inférieur gauche, se trouvait le même emblème du papillon.

— Salut, Ema, a dit une voix derrière nous. Ça vous plaît ?

J'ai fait volte-face. Non, ce n'était pas Agent. Il s'agissait soit d'un autre artiste tatoueur, soit d'un client régulier. Chaque centimètre visible de sa peau était couvert d'encre. Le mot « tatouage » s'est mis à clignoter dans ma tête : le tatouage dans le dos d'Ema, le tatouage sur le visage d'Antoine LeMaire – et, tragique celui-là, le tatouage imprimé de force sur le bras d'une jeune fille nommée Elizabeth Sobek, dans un camp de concentration.

— Salut, Ian, a répondu Ema, d'un ton qui se voulait dégagé. Tu sais où est Agent ?

— Il n'est pas là.

Le dénommé Ian nous a regardés l'un après l'autre. Je lui ai renvoyé un regard dur.

— Ça, on s'en est aperçus, ai-je dit.

— Tu sais où il est ? a demandé Ema. Ou quand il reviendra ?

— Il a mis les voiles. Il ne reviendra pas avant un moment.

— Un moment, ça veut dire quoi ? ai-je demandé. Ce soir ou...

— Pas ce soir. Ni cette semaine.

À présent, il m'examinait comme si j'étais un cheval qu'il envisageait d'acheter.

— Tu dois être Mickey.

— On se connaît ?

— Non. Mais Agent m'a dit que tu passerais.

J'ai lancé un regard à Ema, qui a haussé les épaules pour me signifier qu'elle ne comprenait pas non plus.

— Il m'a demandé de me charger du travail, mais il ne m'a pas dit où. Bras, cuisse, dos... où est-ce que tu le veux ?

J'ai fait un pas vers lui.

— On n'a pas pris rendez-vous.

— Oh, je sais.

— Donc, quand vous dites que vous attendiez notre venue...

— Agent n'a pas précisé quand. Il a juste dit que vous passeriez. Et qu'à ce moment-là, je devrais m'occuper de toi. Regarde, il a laissé le modèle.

D'un mouvement du menton, il a désigné le coin inférieur gauche du miroir – ce même motif que j'avais vu dans la maison de la femme chauve-souris, sur la tombe de mon père et sur Ema.

— Il te plaît ?

Il m'a fallu une minute pour recouvrer l'usage de la parole.

— Qu'est-ce que c'est ? ai-je demandé, d'un ton étrangement étouffé même à mes propres oreilles.

Cette fois, c'est Ian qui a paru surpris.

— Tu ne sais pas ?

J'ai secoué la tête.

— Agent ne te l'a pas dit ?

— Non.

— Mon vieux, c'est bizarre. Dans ce cas, pourquoi a-t-il pensé que tu voudrais ce tatouage ?

— Je ne sais pas. Mais vous pourriez me dire ce que ça représente ?

Ian a réfléchi un instant. On attendait.

— C'est un papillon, a-t-il déclaré enfin.

J'ai étouffé un mouvement d'impatience.

— Oui, ça, on le voit.

— Plus précisément, c'est un Tisiphone Abeona.

J'ai senti mon estomac se retourner en entendant le dernier mot.

— Qu'est-ce que vous avez dit ?

Ma voix devait trahir une pointe de menace, car Ian a levé les mains, comme pour se protéger.

— Eh, du calme, vieux.

— Comment avez-vous appelé ce papillon ?

— Eh, c'est ce qu'Agent m'a dit. Il en parlait tout le temps.

— S'il vous plaît, redites-moi juste le nom, ai-je insisté, m'efforçant de contrôler ma voix.

— Le Tisiphone Abeona.

— Abeona ?

— Ouais, a dit Ian, souriant à présent. Tu sais qui c'est ?

Je n'ai pas répondu.

— Agent et moi, on s'est intéressés aux dieux et déesses antiques, parce que les clients veulent souvent se les faire tatouer. Abeona était une divinité romaine. Tu le savais ?

Étourdi, je repensais à la lettre de démission de mon père : « *Je sais qu'on ne quitte jamais vraiment le refuge Abeona...* »

— Personnellement, ce n'est pas ma préférée, a poursuivi Ian. Mais bon, elle était une sorte de déesse protectrice. Elle veillait sur les enfants quand ils quittaient leurs parents pour la première fois ; quand ils entreprenaient leur premier voyage loin du foyer. Un truc comme ça. Et ce qu'il y a de bizarre avec ce papillon, c'est son nom, pas vrai ? Tisiphone était une des Érinyes, tu sais, les divinités grecques ? Elle punissait les grands crimes – comme les meurtres, par exemple – surtout dans les affaires d'enfants en danger. Tu connais son histoire ?

J'ai secoué la tête.

— Alors, voilà : le père de Tisiphone, Alcméon, les a confiés, elle et son frère, Amphilocos, à la garde de Créon, le roi de Thèbes. Tisiphone, même toute gamine, était une vraie beauté, donc la méchante épouse de Créon l'a vendue comme esclave. Ce que la femme n'a pas réalisé, c'est que le type qui a acheté Tisiphone travaillait pour Alcméon, le père. Tu me suis ? En fait, c'était un plan pour sauver ses enfants.

— Comment vous savez tout ça ?

— Oh, Agent en parlait sans arrêt. Il adorait ce papillon. Je crois qu'il est originaire d'Australie ou de Nouvelle-Zélande, mais comme son nom vient de Tisiphone et d'Abeona, Agent aimait beaucoup le mettre dans ses œuvres. Tu vois les yeux, sur les ailes ? Comme s'ils surveillaient. Pour lui, c'était un symbole lié à la protection des enfants. Il s'agit de leur offrir la sécurité et un refuge.

Un refuge. Le refuge Abeona. Où mon père avait travaillé pendant toutes ces années...

— Tu sais comment on peut joindre Agent ? est intervenue Ema.

Ian a souri.

— Il m'avait dit que vous poseriez la question.

— Et ?

— Non, il a été très clair là-dessus. Il n'y a aucun moyen de le joindre. Aucun.

Il a fait un geste dans ma direction.

— Alors, qu'est-ce que tu en dis, Mickey ? Tu es prêt à te faire tatouer ?

Mon portable a vibré. C'était un SMS de Rachel : **J'ai 1 indice sur Ashley**.

— Pas maintenant, ai-je répondu en filant vers la porte.

Peut-être même jamais.

21

On avait décidé de se retrouver chez Myron, mais un rapide coup de fil à mon oncle m'a fait changer mes plans.

— Où es-tu ? m'a-t-il demandé.

Le ton de sa voix ne me disait rien qui vaille.

— Avec des amis.

— Avec quelle voiture ?

Oh-oh. Ema me dévisageait. J'ai articulé en silence le mot « problème ».

— Je sais que ton père t'a appris à conduire, a-t-il repris. Mais c'est illégal. Tu le sais.

— Je suis passé chez une amie, c'est tout.

— Qui ?

— Rachel. Tu l'as rencontrée hier.

— Tu ne pouvais pas y aller à pied ?

— Euh, je... écoute, elle n'est jamais sortie avec quelqu'un de mon âge. Donc, euh... je lui ai dit que j'étais plus vieux.

Bon sang, est-ce qu'on pouvait avoir l'air plus débile que ça ?

— Tu lui as menti ?

— Non, pas vraiment. Je lui ai juste laissé croire... D'accord, je vais lui dire la vérité. Ensuite, je ramènerai la voiture à la maison et je n'y toucherai plus.

— Mickey, a dit Myron en prenant sa voix parentale, tu sais ce qui arrivera si Taylor t'arrête au volant d'une voiture ?

Je n'ai rien dit.

— Laisse la Taurus où elle est. Rentre à pied. Je viendrai la récupérer plus tard.

— D'accord. Merci. Mais, est-ce que je peux rester un petit peu plus longtemps ?

— Seulement si tu me promets de lui dire la vérité. Tu ne devrais pas lui mentir.

Oh, ce qu'il ne fallait pas entendre !

— Tu as tout à fait raison, ai-je répondu, m'étranglant presque. (J'aurais voulu l'envoyer se faire foutre, mais je n'avais pas du tout envie qu'il vienne me chercher.) Je suis désolé. Je vais lui parler tout de suite. Salut.

Quand j'ai raccroché, Ema s'est mise à rire.

— Quoi ?

— Ton oncle a avalé ça ?

Je n'ai pas pu m'empêcher de sourire.

— Tout ça, c'est nouveau pour lui.

— J'ai l'impression.

J'ai rappelé Rachel pour la prévenir qu'on allait plutôt passer chez elle. Dès que j'ai tourné dans l'allée, le portail automatique s'est ouvert. Rachel devait surveiller notre arrivée. Ema n'a fait aucun commentaire pendant qu'on remontait vers la maison.

— Je ne sais toujours pas où tu habites, ai-je dit.

— On a des problèmes plus importants, tu ne crois pas ?

Là-dessus, elle n'avait pas tort. Quand on s'est arrêtés devant la maison, Rachel avait déjà ouvert la porte. Ema l'observait avec une expression que j'aurais qualifiée de résignée.

— Qu'est-ce qu'il y a ?

— Elle est belle, hein ?

Ne sachant comment répondre à cela, je me suis tu et suis descendu de voiture. Rachel a souri en me voyant. Le sourire a quelque peu vacillé quand elle s'est aperçue que j'étais accompagné. Nous nous sommes dirigés vers elle. Rachel observait Ema. Ema observait Rachel. Je ne savais pas quoi faire.

— Ashley voulait que personne ne soit au courant, a déclaré Rachel.

— Ne t'inquiète pas. Ema est dans le coup depuis le début.

Ma réponse n'a pas eu l'air de plaire à Rachel. Ni à Ema. J'ai donc enchaîné :

— Tu me disais que tu avais un indice à propos d'Ashley ?

Rachel paraissait toujours méfiante.

— C'est bon, je t'assure, ai-je insisté.

Elle a soupiré et nous a fait entrer. Nous nous sommes installés dans le même salon opulent qu'un peu plus tôt.

— Ce portable était dans la dépendance. Ashley l'utilisait pour consulter ses e-mails. J'ai réussi à accéder à son compte.

— Comment ?

Rachel a paru un peu mal à l'aise.

— Mon père est rarement là, mais ça ne l'empêche pas de vouloir garder un œil sur moi. L'année dernière, il a installé un logiciel espion de contrôle parental sur tous les ordinateurs de la maison, afin de surveiller ce que je faisais.

— Nul, a commenté Ema.

— Ouais, je trouve aussi. Pff, les parents.

J'ai senti l'atmosphère se détendre entre elles. Ce n'était pas encore le beau fixe, mais au moins le dégel.

— Sauf qu'il n'est pas très doué en informatique. Il a acheté le logiciel en ligne, sans y comprendre grand-chose. Je m'en suis aperçue, j'ai trouvé ses codes, et maintenant, il ne voit que ce que je veux bien qu'il voie. Non pas que j'aie grand-chose à cacher. C'est bien pour ça, d'ailleurs. Mais bon, peu importe. (Rachel a passé une mèche de cheveux derrière l'oreille.) Bref, même si Ashley a effacé son historique de navigation, j'ai réussi à retrouver ce qu'elle a fait sur cet ordi.

— Et ?

— Elle a reçu un e-mail ce matin.

Rachel m'a tendu une feuille de papier.

Ash,

J'ai de gros ennuis. Il pense que je te cache. Tu sais dans quel état il se met. Tu sais de quoi il est capable. S'il te plaît, Ash, reviens et aide-moi.

C'était signé : Candy.

— Reste à savoir qui est Candy, a déclaré Rachel.

— Je sais qui c'est.

En prononçant ces mots, j'ai senti la peur revenir. J'aurais voulu ne plus jamais remettre les pieds dans cet endroit sordide, et pourtant, Dieu sait comment, je me doutais que ça finirait là-bas. Même si cela signifiait se battre une fois encore contre Buddy Ray et son gros garde du corps. Même si cela signifiait s'attaquer à Antoine LeMaire. Même si cela signifiait affronter la Mort Blanche.

Je revoyais la femme chauve-souris qui, d'une manière ou d'une autre, était liée à mon père et au refuge Abeona, remuer les lèvres pour me dire : *Sauve Ashley*.

Toute sa vie, mon père avait travaillé pour cette organisation. Maintenant, j'entrevoyais peut-être le sens de son action. Je ne croyais pas au destin. Je ne croyais même pas à la vocation. Qu'avait dit Rachel, déjà ?

« J'avais le sentiment que c'était la chose à faire. »

C'était aussi simple que ça et, en même temps, aussi profond. C'était une obligation. Même si j'avais voulu m'en détourner, je ne le pouvais pas.

Je devais sauver Ashley.

22

Rachel et Ema fréquentaient les mêmes écoles depuis presque dix ans, et pourtant, elles ne s'étaient jamais adressé la parole. L'une était la fille la plus populaire du lycée. L'autre, la paria souffre-douleur. Et moi, Mickey Bolitar, j'avais finalement réussi à les rapprocher.

Comment ?

En prononçant la phrase : « Je dois faire ça tout seul. »

Rachel et Ema s'étaient dressées côte à côte, bras croisés.

— Oh, non, a dit Ema, tu ne te débarrasseras pas de nous comme ça.

— On vient avec toi, a ajouté Rachel.

— Et pas la peine de nous dire que c'est dangereux. (Ema.)

— Si c'est dangereux pour nous, ça l'est pour toi. (Rachel.)

— Et arrête avec tes conneries sexistes. (Ema.)

— On n'a pas besoin d'être protégées par un homme grand et fort. (Rachel).

Et ça a continué dans la même veine – j'avoue qu'à un moment, j'ai cessé d'écouter. Je n'avais aucune chance. La reddition était inévitable, alors à quoi bon la différer ?

— Alors qu'est-ce qu'on fait ? a demandé Ema.

Il était 9 heures.

— Je ne sais pas. Je pense qu'il faut aller au Plan B pour essayer de trouver Ashley ou Candy.

— Ils te reconnaîtront, a rétorqué Rachel.

Elle avait sûrement raison.

— Bien, réfléchissons aux possibilités.

Mon téléphone a sonné à ce moment-là. Myron, encore. J'ai répondu d'un prudent :

— Allô ?

— Il est tard, a-t-il attaqué. Tu as dit la vérité à Rachel ?

— Oui.

— Sûr ?

— Elle est à côté de moi. Tu veux que je te la passe ?

— Inutile. J'ai trouvé son adresse sur Internet. Esperanza, mon associée, est avec moi. On est en route pour récupérer la voiture.

J'ai écarquillé les yeux. S'en apercevant, Ema et Rachel se sont approchées. J'ai incliné le téléphone pour qu'elles puissent entendre.

— Pas tout de suite. On bosse sur notre devoir d'histoire.

— Vous avez cours d'histoire ensemble ?

— Oui.

— Donc, vous êtes tous les deux en seconde, a dit Myron, et j'ai cru percevoir une pointe de tension dans sa voix. Dans ce cas, comment Rachel a-t-elle pu imaginer que tu avais l'âge de conduire ?

Il m'avait démasqué.

— Attends une seconde, Myron, j'ai un double appel.

Je l'ai mis en attente et me suis dirigé vers la porte en disant aux filles :

— Vite ! Il arrive. Il vient récupérer la voiture. On doit y aller tout de suite.

On s'est précipités vers la Ford Taurus. Je me suis assis au volant. Les filles ont hésité, sans savoir où se placer, mais Rachel a vite résolu le problème. Ouvrant la portière passager, elle a dit :

— Monte !

Une fois Ema à bord, elle a refermé la portière et est allée s'asseoir à l'arrière.

J'ai descendu la longue allée et tourné à gauche. Entre-temps, Myron avait raccroché et essayé de me rappeler plusieurs fois. Je n'avais pas répondu. Rachel s'est retournée pour regarder par la lunette arrière.

— Ton oncle aussi conduit une Ford Taurus ? m'a-t-elle demandé.

— Oui.

— Oh-oh, il arrive à la grille.

J'ai écrasé l'accélérateur, pris la première à gauche, puis la suivante à droite et ainsi de suite, jusqu'à ce que je sois sûr de ne pas être suivi. Ensuite, j'ai rejoint la route de Newark.

Vingt minutes plus tard – après un grand débat avec Rachel et Ema que j'ai clairement perdu –, j'ai trouvé une place de stationnement à une vingtaine de mètres du plan B, de l'autre côté de la rue. De là, j'avais une bonne vue sur l'entrée du club, mais cela n'a pas suffi à calmer mon inquiétude.

— Ça ne me plaît pas.

— C'est le seul moyen, a dit Rachel. Tu le sais bien.

— Ne t'en fais pas pour nous, a ajouté Ema.

Rachel et Ema avaient martelé l'évidence : je ne pouvais pas retourner dans la boîte. Ils avaient vu mon visage. J'avais même blessé Derrick le videur qui, coup de chance, ne surveillait pas la porte. Rachel avait proposé un plan simple : Ema et elle allaient entrer en prétendant chercher du travail.

Cela leur donnerait l'occasion, une fois à l'intérieur, d'essayer de repérer Ashley ou, d'après ma description, Candy.

— Je pourrais mettre un déguisement pour entrer, ai-je suggéré.

Remarque qui a fait ricaner les filles.

— Comme quoi ? Une fausse moustache ? Une perruque blonde ? Et s'ils te demandent tes papiers d'identité ?

Je n'avais rien à répondre à ça.

— On a déjà réglé la question, Mickey, a dit Ema.

— N'empêche que ça ne me plaît toujours pas.

— Pas de bol, a dit Rachel. Écoute, Ema gardera son portable allumé tout le temps.

Elle avait un bien meilleur opérateur que le mien : mon téléphone affichait une seule barre de réseau tandis que le sien en avait cinq.

— Comme ça, tu entendras tout. En plus, c'est un endroit public : qu'est-ce qu'ils peuvent faire ? Et on a notre mot de passe.

— Jaune.

— C'est ça. On prononcera le mot « jaune » si on sent que ça tourne mal.

— On devrait réfléchir, ai-je dit.

— C'est ce qu'on a fait.

Et avant que j'aie pu argumenter davantage, elles étaient sorties et se dirigeaient vers la boîte. Mon portable a sonné. Comme j'avais bloqué le numéro de Myron, je savais que ce n'était pas lui. C'était Ema.

— Allô ?

— Tu m'entends correctement ? a-t-elle demandé.

— Oui.

— Mets ton téléphone en mode muet pour qu'ils n'entendent rien de ton côté.

Cela fait, je les ai regardées s'avancer vers l'entrée du Plan B. Rachel portait un jean moulant. Fidèle à elle-même, Ema était parée de son armure noire. Je me doutais que Rachel n'aurait aucun mal à rentrer ; j'avais plutôt peur qu'elle soit *trop* bien accueillie. Comme l'avait fait remarquer Ema, elle risquait d'avoir plus de mal à convaincre les videurs qu'elle cherchait un job de danseuse, mais Rachel l'avait rabrouée :

— N'importe quoi. Tu es vachement sexy.

Venant de n'importe qui d'autre, ça aurait semblé hypocrite et condescendant. De la part de Rachel, Ema y avait cru.

J'ai examiné les deux videurs à l'entrée. Ils étaient beaucoup plus petits que mon camarade Derrick, celui qui avait tenté d'enlever Ashley en pleine rue et qui m'avait maintenu les bras dans le dos jusqu'à ce que je lui mette un coup de boule. Est-ce que je lui avais cassé le nez ? Même si c'était le cas, ce n'est pas cela qui allait m'empêcher de dormir.

Les videurs ont regardé Rachel et Ema s'avancer vers eux. À mon avis, ils ne devaient pas souvent avoir des femmes comme clientes, surtout seules. Elles se sont arrêtées devant l'entrée. J'ai tout entendu grâce à mon portable.

— Bonjour, mesdames, a dit le videur de droite. Je peux faire quelque chose pour vous ?

— On voudrait voir quelqu'un pour du boulot, a dit Rachel.

— Quel genre de boulot ?

— Danseuse, serveuse, ce qu'il y a.

— Le patron va t'adorer, a dit l'autre videur. Mais elle... (Il a montré Ema du doigt.) Aucune chance.

Je lui aurais volontiers collé mon poing dans la figure.

Le premier lui a donné une tape sur le bras.

— C'est pas gentil, ça, vieux. Moi je la trouve pas mal. (Il a souri à Ema.) Tu as un joli visage, poupée.

— Merci.

— Et je suis sûr que tu sais bouger sur une piste de danse, pas vrai ?

— Et comment ! a répondu Ema alors qu'elles entraient dans la boîte. Quand je remue les fesses, c'est le choc des mondes.

Je souriais tout seul en songeant : *J'adore cette fille*, quand ma vitre a explosé en mille morceaux. Sans me laisser le temps de réagir, deux mains ont plongé à l'intérieur, m'ont attrapé par les épaules et m'ont tiré par la fenêtre, tête la première. Des éclats de verre m'ont égratigné les bras et se sont enfoncés dans ma peau.

C'était Derrick, un sparadrap blanc sur le nez. Il avait l'air furieux.

— Eh bien, eh bien. Voyez qui est revenu nous dire un petit bonjour.

Il m'a fracassé contre la voiture. Ma tête a laissé un impact dans la tôle. Tentant de me relever, j'ai été saisi de vertige. J'avais besoin d'une seconde pour reprendre mon souffle. Mais le videur m'a donné un coup de pied au visage.

J'ai voulu rouler sur le côté, en vain, le malabar était sur moi. Les coups se sont mis à pleuvoir de partout. J'ai senti un poing s'abattre sur ma mâchoire, puis un genou se planter dans mes côtes. J'avais l'impression que ma tête explosait. Puis j'ai été frappé à la nuque et mes yeux se sont révulsés. Ensuite, ça a été le trou noir.

Lorsque j'ai repris connaissance, Derrick me traînait dans une ruelle par le col de mon T-shirt. De l'autre main, il tenait un portable.

Submergé par la douleur, j'ai senti les larmes me monter aux yeux. Ma première pensée a été pour Ema et Rachel. Elles étaient livrées à elles-mêmes. En avaient-elles conscience ? Sans doute pas. Si elles avaient vu Derrick m'agresser, elles se seraient mises à hurler et seraient intervenues d'une manière ou d'une autre. Non, elles étaient entrées dans la boîte. Seules. Sans personne à l'autre bout du téléphone.

— Je l'amène, patron, a dit Derrick.

— Non, pas la peine, ai-je entendu Buddy Ray répondre. On a récupéré Ash.

— Alors, qu'est-ce que je fais de lui ?

— Où es-tu ?

— Dans la ruelle de derrière.

— Des témoins ?

— Aucun.

— Bon, tu lui règles son compte, a dit Buddy Ray.

Me régler mon compte ?

La peur peut produire le même effet qu'un seau d'eau froide en pleine figure. Soudain parfaitement lucide, j'ai réfléchi à cent à l'heure. Je pouvais faire semblant d'être évanoui pendant encore quelques secondes, et l'attaquer par surprise. Mais soudain, Derrick s'est arrêté et m'a laissé tomber comme un sac de linge sale. Je n'ai pas moufté.

— Ouvre les yeux, petit.

Comme je n'en faisais rien, il m'a donné un bon coup de botte dans les côtes. Une douleur fulgurante m'a traversé la poitrine. Mes yeux se sont ouverts d'un coup, pour se retrouver face au canon d'un revolver.

Pas le choix. J'ai plongé sur l'arme, mais mon adversaire se tenait prêt. De tout son poids, il m'a assené un coup de pied en pleine poitrine. J'ai eu la sensation que tous mes organes internes – cœur, poumons et autres – s'étaient arrêtés de fonctionner. Je me suis de nouveau écroulé par terre. Un autre coup sur la nuque m'a fait fermer les yeux. Des lumières vives se sont mises à danser dans ma tête. Je ne bougeais plus. Je crois que je ne respirais même plus. Je restais étendu là, impuissant, glissant vers l'inconscience.

Jusqu'à ce que j'entende le coup de feu.

23

C'était donc ça, la mort.

Je désirais vraiment voir mes parents. Je me suis rappelé une nuit, deux ans plus tôt, alors que nous séjournions chez des Bédouins de la tribu Hajaya en Jordanie. Nous dormions dans des tentes en peau de chèvre qui nous protégeaient des impitoyables conditions climatiques du désert. Un matin, je m'étais réveillé en entendant braire un animal. Clignant des paupières, j'avais vu mes parents penchés au-dessus de moi. Tous deux affichaient cet air béat, caractéristique des parents – vous savez, les yeux embués et l'air tellement idiot que vous avez presque honte pour eux. Mais en cet instant, j'aurais donné n'importe quoi pour revoir cette expression sur leur visage. Ce souvenir est parfaitement clair et je me demande – s'il s'agit bien là de la mort – si je serai face à l'air béat de mon père lorsque j'ouvrirai les yeux.

Mais attendez ! Si j'étais mort, pourquoi est-ce que je ressentais encore de la douleur après la bastonnade de Derrick ? J'avais l'impression qu'on m'avait implanté chirurgicalement un marteau-piqueur dans le crâne, réglé sur la puissance maximale.

Est-ce qu'on ressent encore ce genre de chose une fois passé de l'autre côté ? J'en doutais.

J'ai lentement ouvert les yeux et vu un visage. Mais ce n'était pas celui de mon père.

C'était le visage de Derrick.

Il avait les yeux grands ouverts, fixés sur rien, et un petit trou parfaitement circulaire au milieu du front, d'où suintait encore un peu de sang. Pas de doute : Derrick n'était plus de ce monde.

Surtout, ne panique pas, me suis-je dit. Restant complètement immobile, j'ai regardé autour de moi.

Feu le videur et moi nous trouvions à l'arrière d'un utilitaire.

— Content de voir que tu as repris connaissance, Mickey.

J'ai tourné la tête vers la voix. La première chose que j'ai remarquée, c'est le tatouage sur son visage.

— Tu me reconnais ?

— Vous êtes Antoine LeMaire.

Une ombre est passée sur son visage – celle du doute, peut-être –, puis il m'a souri.

— En chair et en os.

J'ai essayé d'ignorer la douleur pour réfléchir à ce que je pouvais faire. Me précipiter sur la porte de la camionnette derrière moi ? Et si elle était verrouillée ? Je pesais le pour et le contre quand il a déclaré :

— Si j'avais voulu te voir mort, j'aurais laissé Derrick te tuer.

— C'est vous..., ai-je dit en essayant de me redresser. C'est vous qui l'avez tué ?

— Oui.

Je ne savais pas quoi dire. « Merci » ne paraissait pas vraiment de circonstance. Les mots de Candy à propos d'Antoine et de sa camionnette me revenaient à l'esprit.

— Quelqu'un m'a dit qu'une fois qu'on montait dans votre véhicule, on disparaissait à jamais.

Antoine a souri. Il avait un joli sourire, des dents régulières à la blancheur digne d'une pub pour dentifrice. C'était soit un Noir à la peau claire, soit un Latino à la peau foncée, je n'aurais su trancher.

— Eh bien, ce n'est pas complètement faux. (Il a fait un geste vers le cadavre de Derrick.) Du moins dans son cas.

— Et dans le mien ?

— Non, Mickey. Du moins, je ne l'espère pas.

— Où est Ashley ?

— Je ne sais pas. Moi aussi, je la cherche.

— Pour la vendre ?

— Ah, tu as donc entendu les rumeurs, a dit Antoine en souriant de nouveau.

— Elles sont fausses ?

— Tu ne me reconnais pas, Mickey ?

— Je vous ai vu sur l'enregistrement vidéo du lycée.

— Je ne parlais pas de ça.

J'ai hésité. Quelque chose me paraissait familier en lui, mais lointain, et plus j'essayais de trouver ce que c'était, plus ça m'échappait.

— De quoi, alors ?

Il a soupiré, roulé la manche de sa chemise et m'a montré son avant-bras. Mon univers, déjà pas mal chamboulé, s'est carrément désaxé. J'ai secoué la tête, en pleine confusion, mais il était bien là : le même tatouage de papillon.

— Vous... vous êtes l'un d'eux ?

— Ne devrais-tu pas plutôt dire « l'un des nôtres » ?

— Je ne comprends pas.

— Je pense que si, Mickey.

Et soudain, j'ai su qu'il avait raison. Sans même avoir besoin d'y réfléchir, les pièces du puzzle ont commencé à s'assembler. Le refuge Abeona. Abeona, la divinité qui protégeait les enfants. Depuis l'époque d'Elizabeth Sobek, dans les années 1940, à travers le travail de mon père, et jusqu'à aujourd'hui avec

Ashley, voilà ce qu'ils faisaient : sauver, protéger et offrir un refuge à des jeunes.

— C'est Buddy Ray le salaud de l'histoire, ai-je dit. (Antoine LeMaire a hoché la tête.) Il embauche des filles comme danseuses dans sa boîte, et ensuite… ça se complique pour elles.

— Exactement. Tu ne peux pas savoir à quel point il est corrompu. La mère d'Ashley… elle a eu une vie difficile. Elle a fini par échouer là, où elle dansait, entre autres, pour le compte de cette ordure. Ashley était tout ce qui comptait pour elle. Elle a essayé de protéger sa fille comme elle a pu, de lui offrir une vie meilleure.

— Mais ?

— Mais elle est morte. Les femmes comme elles… ne font pas de vieux os. À ce moment-là, Ashley s'est retrouvée seule. Buddy Ray a prétendu que sa mère lui devait de l'argent et que c'était à elle de régler ses dettes.

— Et le père d'Ashley ?

— Elle ne l'a pas connu. De toute façon, Buddy Ray estime que les filles lui appartiennent. Il use de menaces et de violence. Il les garde prisonnières. Quand elles ne s'enfuient pas, elles finissent comme la mère d'Ashley. Mais s'il les surprend en train d'essayer de s'échapper…

Il n'a pas fini sa phrase.

J'ai senti que j'avais soudain la bouche sèche. Mais le tableau s'éclairait.

— Donc, vous leur venez en aide. Vous faites semblant de kidnapper des filles comme Ashley, mais en réalité, vous faites le contraire. Vous essayez de les sauver.

Antoine n'a rien dit. C'était inutile.

— Vous les installez ailleurs. D'abord dans un endroit à proximité, et ensuite dans un lieu définitif. Mais là, il y a eu un bug. La photo d'Ashley a paru dans le journal. Buddy Ray ou un de ses gars l'a vue.

— C'est une théorie.

— Vous en avez une autre ?

— Il n'est pas impossible qu'un de vos profs du lycée travaille pour eux.

— Qui ?

Il n'a pas répondu.

— Ashley elle-même ne sait pas quel rôle vous jouez ?

— Non. Après l'avoir tirée des griffes de ces hommes, nous l'avons maintenue dans l'ignorance. Nous lui avons donné une nouvelle identité et expliqué ce qui se passerait ensuite. Après ça, c'était à elle de se débrouiller.

— Donc, quand elle a pris peur et s'est cachée, vous ne saviez pas où elle était. Et vous aussi, vous avez essayé de la retrouver.

— C'est exact.

— Vous avez forcé son casier, mais il était vide. Puis, vous avez essayé de faire parler le Dr Kent.

— Non. Ça, c'était la clique du Plan B. Ils ont pensé que puisqu'elle utilisait leur nom, les Kent devaient être au courant de quelque chose. Je suis arrivé juste à temps pour le sauver. Lorsque sa femme est rentrée, elle m'a vu et a donné mon signalement à la police. (Antoine s'est interrompu et m'a dévisagé.) Tu te sens bien, Mickey ?

— Ça va.

— Parce que je vais avoir besoin de toi.

— De moi ?

— Je ne peux pas sauver Ashley sans risquer de compromettre ma couverture. Il faut que tu t'en charges. Si tu appelles les flics, Buddy Ray va lui trancher la gorge et s'assurer qu'on ne retrouve jamais son corps. Si tu vas trouver ton oncle Myron…

— Attendez ! Comment vous connaissez mon oncle ?

— Je ne le connais pas. Mais tu ne peux pas l'appeler à l'aide. Si ton père ne lui a jamais parlé du refuge Abeona, c'est pour une bonne raison.

J'ai respiré un grand coup quand il a mentionné mon père.

— Vous connaissiez mon père, n'est-ce pas ?

— Toi aussi, je t'ai connu, quand tu étais tout petit. À l'époque, on m'appelait Juan.

J'en suis resté bouche bée.

— Mon père... C'est à vous qu'il a envoyé sa lettre de démission.

— Oui, c'est vrai.

— Il voulait quitter le refuge Abeona.

Le regard de Juan s'est déporté sur la droite.

— Oui, pour toi.

Pour moi. Mon père avait fait ce choix pour moi – et avec quel résultat ? Il était mort, cet homme que j'aimais plus que tout au monde... pour moi. Afin de m'éviter les désagréments d'une éducation hors norme, il était revenu aux États-Unis, où il était mort.

Et ma mère ? Elle avait dû se rendre à l'évidence : son mari avait disparu à cause de son fils. Pas étonnant qu'elle m'ait fui. Et qu'elle ait préféré la compagnie d'une seringue.

Une douleur insupportable – à côté de laquelle les coups que m'avait infligés Derrick ressemblaient à une tape sur l'épaule – m'a déchiré de l'intérieur. J'ai levé des yeux voilés vers Juan.

— La femme chauve-souris m'a dit que mon père était encore en vie. Mais c'est faux, n'est-ce pas ?

— Je ne sais pas, Mickey. (La voix de Juan était presque trop tendre.) Veux-tu nous aider ? a-t-il ajouté.

J'ai cligné des paupières pour chasser mes larmes et soutenu son regard. Je me suis demandé ce que mon père aurait voulu, mais ça n'avait peut-être même plus d'importance, maintenant.

— Oui, ai-je répondu. Oui, je veux vous aider.

24

Je me trouvais dans la ruelle derrière la boîte, près de la sortie de secours par laquelle Candy m'avait sauvé lors de ma première visite. Le portable vissé à l'oreille, j'entendais Rachel et Ema essayer de gagner du temps en remplissant le plus lentement possible les formulaires d'embauche. Elles semblaient à court d'excuses.

— Oups, hi-hi, a dit Rachel en adoptant une voix aiguë de bimbo. J'ai encore mal écrit mon nom. Je peux avoir une autre feuille ?

— Bien sûr, poupette, a répondu une voix masculine rauque. Pourquoi tu n'utilises pas un crayon noir cette fois ? Comme ça, tu pourras effacer.

— Ouah ! Très bonne idée.

— Et toi ? a repris la voix rauque.

— Non, non, moi ça va, a répondu Ema. Je sais orthographier mon nom depuis l'âge de 12 ans.

Une autre voix – féminine et plus vieille, presque une voix de matrone – a dit :

— OK, on laisse tomber les formulaires. C'est l'heure de votre audition.

Le ricanement des hommes dans la pièce ne m'a pas plu du tout. J'ai voulu ouvrir la porte de secours, mais il n'y avait pas de poignée. Elle devait s'ouvrir de l'intérieur seulement.

— Ouais, a dit un autre type. C'est le moment de vous voir danser, les filles.

— À toi l'honneur, Bambi.

— Moi ? s'est exclamée Rachel.

J'ai essayé de glisser les doigts sur le côté de la porte pour la forcer, sans résultat.

— Assez parlé ! (Cette voix-là ne plaisantait pas du tout.) On y va.

— Du calme, Max, a dit la femme. Bambi, tout va bien. Vraiment. Tu vas nous montrer comment tu danses.

— Hum, la lumière est un peu jaune, ici, a dit Ema.

Jaune. Le mot de passe.

Que faire ? OK, nous avions prévu un mot de passe, mais pas ce que je devrais faire si elles le prononçaient. Il fallait les sortir de là, ça c'était clair, mais comment ? Appeler la police ? Juan/Antoine m'avait averti des conséquences possibles. Me précipiter à l'intérieur par la porte d'entrée ? Est-ce que ça pouvait marcher ? Le risque que Buddy Ray s'en prenne à Ashley restait le même.

— Hi-hi, a repris Rachel, très bien, passons l'audition. Mais d'abord, je voudrais aller au coin-coin.

Au coin-coin ?

À l'intérieur, l'un des hommes a eu la même réaction que moi.

— Au coin-coin ?

— Hi-hi. Au coin-coin. Vous savez bien. Au petit coin.

— Comme dit notre ami Buck, a ajouté Ema, manifestement à mon intention, on doit aller faire pipi.

— Oh, a dit un homme.

— Le vestiaire est là-bas à gauche. Tu pourras en profiter pour enfiler un costume, Bambi.

— Toi aussi, Tawni.

Tawni et Bambi… Quelle imagination !

J'ai entendu du mouvement et de l'agitation. Avec un peu de chance, elles allaient se retrouver seules et pourraient me parler.

Une seconde plus tard, Ema disait :

— Mickey ?

— Où êtes-vous ?

— Dans le vestiaire. On n'a toujours pas vu Candy. Et toi, tu es dans la voiture ?

— Non. (Pas le temps d'entrer dans les détails de ma rencontre avec Juan/Antoine.) Je suis dans la ruelle, derrière la sortie de secours. Demande à une des filles où elle est et barrez-vous.

— D'accord.

J'ai entendu un bruit de conversation, puis Ema est revenue en ligne.

— Allô ?

Rien.

— Allô ?

— Je crois que j'ai trouvé Candy, a dit Ema.

— Laisse tomber. Ça devient trop dangereux. Il faut vous tirer.

— Attends-nous là, a dit Ema. Et remets-toi en mode muet.

J'aurais voulu lui poser d'autres questions, mais le temps manquait. De nouvelles voix ont retenti. J'avais du mal à comprendre ce qui se disait. Je me suis mis à danser d'un pied sur l'autre, frustré de ne pouvoir agir.

J'avais beau me sentir complètement impuissant, j'étais forcé d'attendre.

Ema ne parlait plus. Rachel ne parlait plus. Je percevais seulement des bruits de fond. Et si quelque chose était arrivé ? Si elles ne pouvaient pas parler ? Combien de temps allais-je rester là à ne rien faire ? Cinq minutes ? Dix minutes ? Une heure ? Je me rappelais le visage de Buddy Ray, le plaisir qu'il avait pris à me faire souffrir. Je me rappelais la peur dans les yeux de Candy lorsque nous étions passés à côté du « cachot ».

Comment avais-je pu les laisser entrer là-dedans toutes seules ?

Le temps passait. Je ne savais pas combien au juste. J'avais l'impression que dix minutes s'étaient écoulées, même si c'était plus probablement deux ou trois. Et alors, au moment où je pensais mourir d'inquiétude, la porte coupe-feu s'est ouverte.

C'était Ema.

— Entre, m'a-t-elle dit très vite.

— Quoi ? Non. Vous, vous sortez.

Elle s'est écartée, et j'ai vu Rachel et Candy.

— Entre, a-t-elle insisté.

Pas le temps de discuter. Soudain, je me suis retrouvé dans la pièce bleue jonchée de coussins. La lourde porte s'est refermée derrière moi. J'ai lancé un coup d'œil à mes deux complices, qui m'ont fait signe que tout allait bien. Candy, elle, paraissait différente de la dernière fois. Amaigrie, peut-être, les traits tirés et le visage plus pâle. Sa lèvre inférieure tremblait.

— Où est Ashley ? lui ai-je demandé.

— Comment veux-tu que je le sache ? a-t-elle répondu, haussant les épaules sans conviction.

— Parce que vous lui avez envoyé un e-mail.

Candy a regardé à gauche, puis à droite.

— Euh, je ne sais pas de quoi tu parles.

Mais elle mentait.

— Vous lui avez écrit que vous étiez en danger. C'est pour ça qu'elle est revenue ici, pas vrai ?

Elle n'a pas répliqué. Elle tremblait de plus en plus fort. Je l'ai prise par les épaules et me suis mis à la secouer.

— Où est Ashley ?

— Mickey…, a dit Rachel.

Je me suis tourné vers elle. Elle m'a fait « non » de la tête. Elle avait raison. J'étais trop dur. Ema s'est approchée et m'a poussé sur le côté. Rachel a pris Candy dans ses bras et lui a caressé les cheveux.

Puis elle lui a parlé d'une voix très douce.

— Tu as envoyé un e-mail à Ashley en disant que tu avais des problèmes.

Candy a hoché la tête.

— Quel genre de problèmes ?

— Je ne voulais pas lui faire de mal, s'est-elle contentée de répondre.

En entendant cela, j'ai senti mon cœur se serrer.

— Je sais, a dit Rachel. Ne t'inquiète pas. Raconte-nous seulement ce qui s'est passé.

— Ashley était ma meilleure amie, a commencé Candy.

Ema a jeté un coup d'œil à sa montre, puis à moi. Je savais ce qu'elle avait en tête. La patience de ces messieurs avait des limites. On devait se dépêcher. Elle est allée se placer en sentinelle près de la porte.

— Tu dois nous dire ce qui est arrivé, a insisté Rachel.

Candy s'est dégagée de son étreinte et a essuyé ses larmes sur sa manche.

— Ashley et moi, on s'était toujours dit qu'on se tirerait d'ici ensemble. On avait des projets. On comptait partir en Californie. Laisser tout ça derrière nous. C'était seulement un rêve. On savait bien que Buddy Ray ne nous laisserait jamais nous en aller. Mais… (Elle a levé un regard suppliant vers Rachel.) Ashley s'est échappée. Vous ne comprenez pas ? Je croyais qu'Antoine l'avait enlevée. Mais non, elle s'était enfuie. Toute seule.

— Et elle t'a laissée ici, a conclu Rachel d'un ton qui se voulait compréhensif.

— Elle m'avait juré qu'elle ne ferait jamais une chose pareille. Mais il m'a dit qu'elle allait très bien.

(Là, elle m'a désigné d'un mouvement de menton.) Qu'elle s'était inscrite dans ce lycée de petits bourgeois. Comment elle a pu me faire ça ?

— Donc, vous lui avez tendu un piège, ai-je déclaré.

Elle m'a fusillé du regard.

— Je n'avais pas le choix. Buddy Ray savait que je t'avais aidé. Il m'a fait comprendre que si je ne l'aidais pas à la récupérer, il me tuerait. (Elle s'est remise à pleurer à chaudes larmes.) Comment c'est possible ? Comment Ashley a pu m'abandonner comme ça ?

— Elle ne vous a pas abandonnée. Quelqu'un l'a sauvée, ai-je répliqué, sans vouloir entrer dans les détails à propos d'Antoine ou du refuge Abeona. Ça s'est passé très vite. Elle ne pouvait pas vous contacter sans risquer de tout faire capoter.

— Alors, Ashley ne m'a pas...

— Elle ne vous a pas laissée tomber, non. Maintenant, si vous savez où elle est...

Le visage de Candy s'est décomposé.

— C'est sans espoir.

Un grand froid a envahi ma poitrine.

— Pourquoi ?

— Vous n'êtes que des ados. Vous ne pouvez pas battre un type pareil. Vous savez ce qu'il fera s'il apprend que je vous ai seulement parlé ?

Candy a relevé la manche de son chemisier. Je n'ai pas tout de suite compris ce que je voyais. Puis Rachel a étouffé un petit cri.

Deux brûlures de cigarette toutes fraîches ornaient le bras de la danseuse.

— Et encore, je ne vous montre pas tout.

— Oh, mon Dieu, a soupiré Rachel.

J'ai senti mon estomac se révulser.

— Et il retient Ashley ? Où sont-ils ?

Candy a secoué la tête.

— S'il vous plaît, dites-le-moi.

C'est alors que Candy m'a fichu la trouille. Levant la tête, elle a regardé la porte, à l'autre bout de la pièce.

La porte du cachot.

Soudain, on a entendu des voix se rapprocher. Ema s'est retournée et m'a chuchoté d'un ton impérieux :

— Mickey, planque-toi !

J'ai plongé sous les coussins au moment où trois hommes et une femme – la matrone dont j'avais entendu la voix – ont poussé Ema pour entrer dans la pièce.

— Te voilà, Bambi, a dit la femme. (Elle portait un chignon haut et des lunettes papillon.) Prête, trésor ?

J'ai essayé de m'aplatir par terre derrière les coussins.

— Où tu étais passée ? a demandé l'homme à la voix rauque.

— Hi-hi, j'essayais les tenues, pardi !

— Alors, pourquoi tu ne t'es pas changée ?

— Euh, parce que rien ne m'allait.

Un autre homme est entré.

— Eh bien ! s'est-il exclamé en déshabillant Rachel du regard. Vous n'aviez pas menti.

Il y avait maintenant quatre hommes dans la pièce, plus la femme au chignon. Mais pas de Buddy Ray. Où était-il ? J'ai pensé à Ashley, à son pull monogrammé et son collier de perles, à son désir si fort de fuir cette vie-là. J'ai pensé à la façon dont elle me regardait, avec tant d'espoir, alors qu'en ce moment même, elle se trouvait peut-être derrière cette porte, au cachot.

Seule avec Buddy Ray.

— OK, ça ira très bien comme ça, a dit la femme au chignon. On peut faire passer les auditions ici et maintenant.

— Maintenant ? a demandé Rachel.

— Oui, pourquoi pas ?

Tandis que Chignon prenait la main de Rachel, les hommes se sont laissés tomber sur les coussins. Celui à la voix grave a atterri tout près de l'endroit où je me cachais. Son dos se trouvait à cinquante centimètres de ma tête. J'ai retenu mon souffle, prenant garde à ne surtout pas bouger.

— Candy, qu'est-ce que tu fiches ici ? a-t-il grommelé.

— Qui, moi ? Rien.

— Alors, débarrasse-nous le plancher, hein ? Et ferme la porte derrière toi.

— Oui, Max, tout de suite.

Elle s'est dépêchée de sortir et, obéissant aux ordres, a refermé derrière elle.

— Bon, Bambi, a repris Chignon, monte sur cette estrade et montre-nous de quoi tu es capable.

Lentement, Rachel a pris place sur la petite scène. Puis elle est restée figée.

— Bambi ?

— Je... euh, d'habitude, j'aime bien avoir un peu de musique.

— On peut chanter, si tu veux, a dit le dénommé Max, avec une pointe d'agacement dans la voix. Mais là, je commence carrément à m'impatienter.

J'ai pensé à attraper mon téléphone, mais ce simple mouvement risquait de me faire repérer. Centimètre par centimètre, j'ai tenté de m'éloigner de Max et ensuite...

Ensuite, quoi ? Qu'est-ce que j'allais faire ?

— Je peux aller au petit coin, moi aussi ? a demandé Ema.

Max a fait un geste vers elle signifiant « vas-y, je m'en fiche ». Qu'est-ce qui lui prenait, de laisser Rachel toute seule ? Mais elle avait vu la même chose que moi : c'était sans espoir. Elle allait sûrement sortir pour appeler la police. J'avais beau me rappeler la mise en garde de Juan, je ne voyais pas quoi faire d'autre.

J'ai regardé la sortie de secours. J'ai regardé la porte du cachot.

— Danse ! a crié l'un des spectateurs.

Elle s'est donc mise à danser. Il y avait une barre au milieu de la scène, qu'elle a ignorée. Rachel, on l'a compris, est un vrai canon : un visage d'ange sur un corps capable d'arrêter la circulation.

Mais c'est une danseuse épouvantable.

Elle bougeait comme la cousine foldingue à une bar mitzvah.

La matrone a porté la main à sa poitrine. Les hommes se sont contentés d'écarquiller les yeux, horrifiés. Puis ils ont crié :

— Qu'est-ce c'est que ça ?

— Danse, bon sang !

— Bouge ton cul !

— La barre !

— Eh, c'est quoi, ça, la bourrée ?

J'ai commencé à faire glisser le coussin millimètre par millimètre, quand Max s'est raidi.

— Attends une seconde !

C'était comme s'il avait senti ma présence. J'ai replongé sous les coussins. Quand il a tourné la tête vers moi, j'étais invisible. Mais je ne voyais plus rien non plus. J'osais à peine respirer.

— Qu'est-ce qu'il y a, Max ?

— J'ai cru entendre quelque chose.

— Quoi ?

Max s'est levé et s'est approché de l'endroit où je me trouvais. Les autres types ont fait de même.

— D'accord, a dit Rachel. Je vais casser la baraque.

Il n'en fallait pas plus pour qu'ils reportent leur attention sur elle. J'en ai profité pour me rapprocher discrètement de la porte du cachot. Tous les yeux étaient braqués sur ma camarade, qui tentait un nouveau numéro : une imitation atroce de John Travolta dans un de ces vieux films de la période disco. Chignon a de nouveau grincé des dents.

C'est alors que la porte s'est ouverte à la volée. Ema a fait irruption dans la pièce, Candy sur les talons.

— Salope ! a crié Ema à Rachel. Tu m'as piqué mon mec !

— Non ! a hurlé Candy. Il était à moi !

Rachel, comprenant plus vite que je ne l'aurais fait, a aussitôt répliqué :

— T'as un problème ? Viens par là !

Ema a sauté sur l'estrade et s'est jetée sur Rachel. Candy a suivi. Toutes les trois se sont mises à se bagarrer en hurlant. Au début, Max et ses acolytes n'ont pas su quoi faire. D'autres filles sont entrées et se sont lancées dans la mêlée. Les combattantes avaient roulé par terre, dans la direction de la sortie de secours, par laquelle mes complices allaient sûrement tenter de fuir.

Ema, un vrai génie !

Dans la pagaille générale, caché sous les coussins, j'ai rampé vers la porte du cachot. J'ai tourné la poignée. La porte s'est ouverte. Je me suis glissé dans le noir de l'autre côté.

25

Quand mes yeux se sont accoutumés à la pénombre, j'ai vu un escalier qui descendait.

Le cachot devait donc se situer dans la cave.

J'ai refermé la porte derrière moi et je me suis engagé sur les marches. Arrivé en bas, j'ai stoppé net. Le sol était jonché de mégots de cigarettes. En repensant au bras martyrisé de la pauvre Candy, j'ai frissonné. Puis je me suis figé, sous le choc.

Là, au milieu de la pièce en parpaing, se trouvait Ashley, attachée à une chaise.

Elle me tournait le dos. J'allais m'avancer vers elle quand j'ai entendu une voix dire :

— Je croyais que tu t'étais fait kidnapper, Ashley.

C'était Buddy Ray.

Je me suis reculé dans l'obscurité, restant hors de vue. Dans un angle de la pièce, Buddy Ray était assis sur une grosse caisse à outils fermée avec un cadenas. Il lui souriait, une cigarette au coin des lèvres.

Il tenait un couteau à la main.

— Mais maintenant, je sais que tu t'es enfuie, a-t-il repris, feignant d'être blessé. Qu'est-ce que tu crois que je ressens ?

— Laisse-moi partir, a dit Ashley.

— Tu t'es échappée. Tu dois recevoir une leçon, a déclaré Buddy Ray, de sa voix zozotante. (Il s'est levé et s'est approché d'elle.) Je dois être sûr, complètement sûr, que ça ne se reproduira pas.

Recroquevillé dans le noir, je me demandais quoi faire. Il était trop loin pour que je lui saute dessus. Non seulement il était armé, mais il lui serait sûrement facile d'appeler à l'aide.

— Ça ne servira à rien, a dit Ashley d'une voix étrangement calme.

Buddy Ray a penché la tête de côté.

— Ah bon ?

— Non. Parce que quoi que tu me fasses, je m'enfuirai encore.

— Et je te retrouverai encore.

— Et je m'enfuirai encore. Même si tu me coupes les jambes avec ce couteau, je continuerai à essayer de m'en aller. Je n'ai rien à faire ici.

Buddy Ray s'est mis à rire en secouant la tête.

— Tu te trompes, ma chérie. Dans les grandes largeurs. Quoi, tu imagines que ta place est dans ce petit lycée propret, avec ton joli petit pull, à tenir la main de ton mignon petit copain ? Comment tu crois qu'il réagirait, ton bellâtre, s'il savait qui tu es vraiment ?

Sa remarque a produit l'effet escompté, puisque j'ai vu Ashley se raidir. J'aurais voulu lui crier que ça n'avait aucune importance, que je me fichais de ce qu'avait été sa vie d'avant.

Buddy Ray a ouvert les bras.

— C'est ici, chez toi.

Elle a levé la tête pour le regarder en face.

— Non.

— Tu n'as toujours pas compris, hein ? (Il a désigné la caisse à outils derrière lui.) Tu sais ce qu'il y a là-dedans ?

— Je m'en fiche, a-t-elle dit, faisant un effort pour avoir l'air courageuse.

— Oh, tu ne devrais pas. (Le salaud lui a montré le couteau dans sa main.) Tu fais ta maligne…

Il s'est penché, si près que sa bouche frôlait l'oreille d'Ashley. Je me suis crispé, prêt à m'élancer et à… à… je ne sais pas… à faire n'importe quoi s'il la touchait. Au lieu de quoi il s'est contenté de baisser la voix.

— Mais je te jure, Ashley, je te jure sur ce que j'ai de plus sacré, que lorsque j'aurai ouvert cette caisse et que j'en aurai fini avec toi, tu me supplieras de te laisser rester ici et travailler pour moi.

Il m'a tourné le dos pour aller vers la caisse.

C'était maintenant ou jamais. Mais au moment où je m'apprêtais à bondir, la porte par laquelle je venais d'entrer a commencé à s'ouvrir. Je n'ai eu que le temps de grimper l'escalier pour me cacher derrière le battant.

— Patron ? a demandé quelqu'un.

Je ne voyais rien. La porte était presque collée à moi. Si le nouveau venu la poussait d'un centimètre de plus, je la prendrais en pleine figure.

— Quoi ? a rétorqué Buddy Ray. Je suis occupé.

— On a, comme qui dirait, un petit souci.

J'entendais du chahut derrière lui.

— Derrick ne peut pas s'en charger ?

— Personne ne sait où il est.

Buddy Ray a soupiré.

— Je ne serai pas long, princesse.

Pas de réponse de la part d'Ashley.

En l'entendant gravir l'escalier quatre à quatre, j'ai fermé les yeux et prié pour qu'il ne me voie pas. Apparemment, mes prières ont été exaucées. Il a franchi la porte, la claquant derrière lui.

Nous étions enfin seuls. C'était le moment d'agir : la libérer et se tirer d'ici. Buddy Ray pouvait revenir d'une seconde à l'autre.

J'ai dévalé l'escalier pour rejoindre le cachot. Ashley a tourné la tête et, en me voyant, est restée bouche bée.

— Mickey ?

— Il faut sortir de là.

— Comment tu m'as retrouvée ?

— Pas le temps de t'expliquer.

Elle s'est mise à pleurer. Je me suis agenouillé près de la chaise pour la détacher. Au cinéma, on a l'impression que ça prend deux secondes, n'est-ce pas ? Comme si un prisonnier était retenu par un lacet de chaussure. Mais dans la vraie vie, ce n'est pas le cas.

Son geôlier ne l'avait pas ligotée avec une corde, mais avec des menottes en plastique bien serrées autour de ses poignets.

Je n'avais aucune idée de ce qu'il fallait faire. J'ai parcouru la pièce des yeux à la recherche d'un objet coupant, en vain.

— Mickey ?

— Attends, que je trouve un moyen de te détacher.

— C'est impossible, a-t-elle dit d'un ton découragé.

— Remue les mains.

J'ai essayé de tirer sur les menottes, sans résultat.

— On n'a plus le temps, a dit Ashley. Tu dois te sauver.

— Non.

— Mickey, il va revenir dans une minute. S'il te plaît, va-t'en. Il ne me fera pas grand-chose. Il aura trop peur d'abîmer la marchandise.

Il était inutile de continuer à m'acharner sur les menottes : elles ne glissaient pas d'un millimètre. Avisant la caisse à outils, je me suis précipité dessus et j'ai donné un grand coup de pied dans le cadenas, en pure perte. J'ai cherché une paire de pinces ou n'importe quoi d'autre, mais le cachot était entièrement vide.

Putain !

J'ai donné un nouveau coup de pied. Impossible de forcer ce satané cadenas. J'ai sorti mon portable. Assez. Il fallait prendre le risque et appeler le 911.

— Non ! a crié Ashley. S'il voit une voiture de flic, il va tirer dans le tas.

De toute façon, il n'y avait pas de réseau dans cette cave.

Et maintenant, quoi ?

Tic tac, tic tac. Combien de temps avions-nous devant nous ?

— Mickey ? Écoute-moi, s'il te plaît. Il est trop tard. Tu dois partir. S'il te fait du mal, s'il t'arrive quoi que ce soit, je ne pourrai jamais me le pardonner.

J'ai couru vers elle et pris son visage entre mes mains. Elle me regardait de ses magnifiques yeux implorants.

— Je ne te laisserai pas, ai-je affirmé. Tu m'entends ? Quoi qu'il arrive. Je ne te laisserai pas avec ce monstre.

Tic tac, tic tac.

C'est alors qu'une idée m'est venue. La menotte en plastique était trop solide pour se briser. *Idem* pour le cadenas.

Et la chaise en bois ?

— Attention !

— Quoi ?

J'ai frappé le pied de la chaise de toutes mes forces. Une fois. Deux fois. Le pied a commencé à bouger. Trois fois. Il a craqué. Si seulement on pouvait aller plus vite…

C'est alors que j'ai entendu la porte s'entrebâiller.

Game over.

Je savais ce qui allait se passer maintenant. Buddy Ray allait surgir, armé de son couteau. Il appellerait des renforts. Max et les autres videurs viendraient lui prêter main-forte.

Nous n'avions aucune chance.

Il suffisait de réfléchir deux minutes pour comprendre qu'on ne s'en sortirait pas.

Donc, je n'ai pas réfléchi. Baissant la tête, j'ai chargé, gravissant les marches en trois enjambées.

Même si je n'avais jamais joué au football américain, mon père et moi regardions les matchs dès que nous avions accès à une télévision par satellite. Il adorait les Jets qui, disait-il, lui avaient enseigné le sens du mot déception. Là, j'ai lancé mon *linebacker* intérieur dans un blitz pour qu'il plaque le *quaterback*. Je ne savais pas si j'allais y parvenir, mais j'y ai mis toutes mes forces.

Buddy Ray m'a vu.

— Qu'est-ce que… ?

Il n'a pas pu en dire plus.

Je l'ai percuté à pleine vitesse, en le ceinturant de mes bras. On s'est effondrés tous les deux dans la pièce bleue. Dans la chute, ma tête lui a percuté le menton. J'ai senti ses dents s'entrechoquer et se déchausser.

Je ressentais encore des élancements dans le crâne après l'attaque de Derrick, un peu plus tôt. Et la douleur de l'impact a été si fulgurante que j'ai craint de m'évanouir. Mais ça en a valu la peine. Du sang dégoulinait de la bouche de mon adversaire. Une poussée d'adrénaline m'a donné la force d'aller jusqu'au bout. Fermant le poing, je lui ai assené un grand coup sur la bouche. Ses dents déjà fragilisées ont volé en éclats.

Alors que je m'apprêtais à frapper de nouveau, Max m'a saisi le bras, retourné et planté un genou dans la cage thoracique. Des étincelles ont explosé dans ma tête. C'était comme si j'avais été poignardé dans les poumons. Au moment où il a voulu me porter le coup ultime, j'ai vu quelqu'un frapper mon agresseur avec ce qui s'est révélé être le pied d'une chaise.

Ashley !

Le videur s'est effondré comme un arbre coupé. Roulant sur le flanc, j'ai essayé de me relever, mais ma tête tournait trop et je suis retombé à genoux.

— Prends appui sur moi ! a crié Ashley.

Je ne voulais pas. Je voulais qu'elle franchisse cette porte de secours et s'enfuie, mais elle a refusé de m'écouter. Passant un bras sous mes aisselles, elle m'a aidé à me relever et à faire un pas vers la porte. C'est alors qu'une douleur semblable à aucune autre m'a déchiré le tibia.

Buddy Ray me mordait de sa bouche édentée !

Je me suis dégagé en hurlant. Un deuxième videur est apparu, puis un troisième. Max a commencé à se relever.

Les hommes nous ont encerclés. Ashley s'est serrée contre moi. J'ai glissé un bras protecteur autour d'elle. Comme si ça allait servir à quoi que ce soit.

Buddy Ray s'est remis debout en chancelant. Il m'a adressé un sourire sanguinolent.

— Tu vas regretter de ne pas être mort, m'a-t-il dit.

J'ai eu un mouvement de recul, comme si j'avais renoncé à me battre. Mais je n'avais renoncé à rien. Tête baissée, j'ai chuchoté à Ashley :

— Suis-moi.

L'adrénaline est une drôle de substance. J'avais lu des articles sur des mamans capables de soulever des voitures pour dégager leurs enfants. J'ignore si c'est vrai. Tout ce que je sais, c'est qu'elle m'a donné une petite force supplémentaire, comme un sursaut d'énergie.

Je me suis précipité vers le patron du Plan B.

Croyant que j'allais de nouveau me jeter sur lui, il s'est écarté.

C'est ce que j'espérais.

Je suis passé à côté de lui en courant, Ashley sur les talons. Ça se jouerait à la seconde près. Deux pas. Jusqu'à la porte de secours.

Les hommes ont réagi. J'ai poussé la porte d'un coup d'épaule, attrapé ma copine et l'ai fait sortir. Puis j'ai tenté de refermer la porte, mais les gros bras poussaient de l'autre côté. Je n'allais pas y arriver.

C'est alors qu'Ema m'a rejoint. Avec Rachel. Et Candy.

Et d'autres filles. Elles étaient dix, peut-être quinze à pousser sur cette foutue porte, afin que personne ne nous suive.

— Courez ! a crié Candy. On s'occupe du reste.

— On part tous ensemble ! ai-je répondu. Vous aussi, fuyez.

Mais Candy a secoué la tête.

— Ça ne marche pas comme ça, Mickey. Tu ne peux pas toutes nous sauver.

Il y avait une étrange vérité dans ses paroles. J'ai pensé à Juan, qui avait choisi d'aider Ashley et pas Candy. Mais je n'avais pas le temps de m'appesantir là-dessus. On devait déguerpir.

Au loin, j'ai entendu des sirènes de police. Les flics seraient là dans quelques minutes. Plusieurs filles ont filé. J'ai croisé le regard de Rachel. Elle était avec Ashley. J'ai cherché Ema, mais ne l'ai pas vue.

— On part tous en courant, ai-je dit aux filles. Tout le monde en même temps.

C'est alors qu'une voix – une voix dotée d'un affreux petit zozotement, une voix qui me glaçait comme aucune autre – a dit :

— Oh, je ne crois pas, non.

Tout le monde s'est figé. C'était comme si les bâtiments environnants, la ruelle même, retenaient leur souffle. Rompant la paralysie générale, j'ai lâché la porte et tourné la tête vers la gauche.

Buddy Ray tenait un couteau contre le cou d'Ema.

J'ai senti mon cœur me remonter dans la gorge. Les sirènes se rapprochaient.

Il me souriait. Si ses dents cassées ou sa bouche pleine de sang le gênaient, il n'en montrait rien. Il n'y avait rien derrière ce sourire. Pas de joie, pas d'âme. C'était le sourire le plus terrifiant que j'avais jamais vu.

— Les flics sont en route, ai-je dit. Ils seront plus indulgents avec vous si vous la lâchez.

Buddy Ray a ri.

— Qui a dit que je voulais de l'indulgence ?

Que répondre à cela ? J'étais bien trop loin de lui pour pouvoir intervenir. Il a rapproché le couteau de la gorge d'Ema. Celle-ci a fermé les yeux. Des larmes coulaient sur ses joues.

— S'il vous plaît..., a-t-elle murmuré.

— Tu as pris quelque chose qui m'appartient, a déclaré Buddy Ray en me regardant en face. Maintenant, c'est mon tour.

— Non ! Si vous voulez vous venger sur quelqu'un, vengez-vous sur moi. (J'ai levé les mains et je me suis avancé vers lui.) Prenez-moi à sa place.

J'ai tenté un nouveau pas en avant. Je me trouvais encore à dix mètres de lui. Mais quand j'ai croisé son regard, quand j'ai vraiment vu ses yeux, j'ai compris que c'était foutu.

Ema était perdue.

Ce type était imperméable à tout raisonnement. Il se fichait de l'arrivée des flics. Il voulait juste régler un compte avec moi. Et je savais ce qu'il allait faire.

Il allait tuer Ema.

Il allait la tuer uniquement pour voir ma tête au moment où il le ferait. J'étais là, tout près de triompher, et à cause de ça, il allait m'arracher ma meilleure amie.

C'était comme si Buddy Ray savait déjà tout. J'avais perdu mon père. J'étais en train de perdre ma mère. Et maintenant que j'avais trouvé une véritable amie, j'allais la perdre, elle aussi.

Il a appuyé la lame sur la gorge d'Ema. Elle a gigoté, mais il la tenait fermement.

— Dis-lui adieu, a-t-il déclaré.

Et là, alors que tout espoir semblait perdu – boom, un véhicule a déboulé et fauché Buddy Ray.

Ma bouche s'est ouverte toute seule.

À un moment, il était là, un couteau à la main. L'instant d'après, il était emporté sur le capot de ce petit camion.

Un petit camion que je connaissais.

Un petit camion décoré d'un logo en forme de balais croisés.

Tandis que les sirènes nous entouraient et que les voitures de police s'arrêtaient dans des crissements de pneus, la portière du conducteur s'est ouverte et Spoon est sorti.

Il a remonté ses lunettes sur son nez, lancé un regard au corps immobile sur le capot et dit :

— Bon sang, il faut vraiment que j'apprenne à conduire.

C'est Ema qui l'avait appelé quand elle n'avait pas réussi à me joindre.

— Je me suis dit qu'au moins, il pourrait peut-être venir nous chercher.

Je l'ai serrée dans mes bras pendant un long moment. Rachel s'est approchée et jointe à l'étreinte. Spoon a fait de même.

Des voitures de police continuaient d'arriver. J'ai vu le père de Tyrell. Mon oncle Myron était là aussi. La Ford Taurus était équipée d'un GPS, ça me revenait maintenant. C'est comme ça que Myron avait pu me localiser. Il arrivait seulement un peu trop tard.

Une ambulance a emporté Buddy Ray. Ses jours n'étaient pas en danger. Mais les filles parlaient aux policiers. Il y aurait des poursuites. Il ne serait pas libre avant de longues années.

Entouré d'Ema et de Rachel, j'ai vu Ashley embarquer dans la camionnette de Juan, au bout de la rue. Elle s'est détournée pour me lancer un dernier regard. Elle souriait. Je lui ai rendu son sourire, mais sans éprouver la moindre joie. À cet instant, je crois qu'on a compris tous les deux qu'on ne se reverrait pas.

Du moins, c'est le sentiment que j'ai eu.

Juan m'a adressé un petit signe, avant de refermer sa portière.

J'ai regardé Rachel, qui a hoché la tête. Ema s'est forcée à me sourire. Spoon ne semblait pas savoir quoi faire. *Mes amis*, ai-je pensé. Les seuls vrais amis que j'avais jamais eus. Et là, Dieu sait pourquoi, j'ai senti que ce ne serait pas la dernière fois qu'on ferait ainsi front tous ensemble.

L'émotion me submergeait. On s'est rapprochés les uns des autres, comme pour former une carapace protectrice.

— Tu sais quoi ? a demandé Spoon.

— Quoi ?

— George Washington était stérile.

26

Plusieurs heures plus tard, une fois mon mollet désinfecté et la police satisfaite, Myron m'a ramené à la maison. Je m'attendais à un interrogatoire en règle ou à un sermon, mais il m'a fichu la paix. Il paraissait perdu dans ses pensées.

— Ils t'ont mis dans un sale état, a-t-il finalement fait remarquer.

J'ai hoché la tête.

— C'est la première fois que tu te fais amocher comme ça ?

— Oui.

— Tu auras encore plus mal demain matin. Beaucoup plus mal. Je te donnerai des analgésiques.

— Merci.

Il a pris un virage, les yeux fixés sur la route.

— Les sélections de basket auront lieu bientôt.

— Je sais.

Un silence inconfortable s'est installé. Cette fois, c'est moi qui l'ai rompu.

— L'autre soir, je t'ai vu discuter avec une femme sur l'ordinateur.

— Ah.

— Qui est-ce ?

— Ma fiancée.

Ça m'a surpris.

— Elle vit à l'étranger, a-t-il ajouté.

— Tu étais censé aller la rejoindre ?

Myron n'a pas répondu.

— Tu es resté à cause de moi ?

— Ne t'inquiète pas pour ça. On se débrouillera.

Nouveau silence.

— Je peux te poser une autre question ?

— Je t'écoute.

— C'est quoi, le problème, entre le commissaire Taylor et toi ?

Il a souri.

— Taylor est trop accro à son petit pouvoir.

— Son fils est le capitaine de l'équipe de basket.

— Lui aussi l'a été. Il y a des années. Il était en terminale quand j'étais en seconde.

C'était comme si l'histoire se répétait.

— Qu'est-ce qui s'est passé entre vous deux ?

Myron a paru peser le pour et le contre, avant de secouer la tête.

— Je te raconterai une autre fois. Pour l'instant, on va plutôt s'occuper de tes blessures.

Mon oncle avait raison.

Quand je me suis réveillé le lendemain, j'avais mal partout. Il m'a fallu dix minutes pour réussir à me redresser puis à sortir du lit. Mes tempes battaient. Ma tête pulsait. Mes côtes étaient si fragilisées que le simple fait de respirer me causait une douleur aiguë.

J'ai trouvé deux comprimés sur ma table de chevet et les ai avalés. Ils m'ont fait du bien. Myron avait emmené la deuxième Taurus chez le garagiste pour faire réparer la vitre fracassée par Derrick. Ce qui signifiait que j'allais devoir marcher. Les flics continuaient sûrement à chercher le gros videur. Je n'avais pas envie de leur dire qu'ils perdaient leur temps.

Quelques heures plus tard, j'arrivais au centre de désintoxication Coddington. Christine Shippee m'a accueilli, les bras croisés.

— Je te l'ai déjà dit, Mickey. Tu ne peux pas encore voir ta mère.

Tout m'est revenu en mémoire. Le refuge Abeona et le travail de mes parents. La lettre de démission que mon père avait envoyée à Juan. Son désir de m'offrir une vie normale. Notre arrivée aux États-Unis, ce trajet en voiture vers San Diego, l'accident. J'ai repensé à l'ambulancier aux cheveux blond vénitien et aux yeux verts. À l'expression de son visage qui disait que ma vie était finie, et à cette impression que j'avais eue à ce moment-là, que cet inconnu connaissait mieux mon avenir que moi.

J'ai revu le visage de ma mère quand elle avait appris la mort de mon père. Elle aussi était morte ce jour-là. J'ai songé à la manière dont j'avais essayé de l'aider – jouant sans doute un rôle de « facilitateur » –, comment je l'avais portée à bout de bras, et comment elle s'était accrochée à moi, m'avait menti et même manipulé, moi, son fils unique. J'ai songé aux spaghettis aux boulettes de viande que nous n'avions jamais mangés. J'ai songé au pain à l'ail.

— Mickey ? m'a demandé Christine. Tout va bien ?

— Dites-lui simplement que je l'aime. Que je suis là et que je le serai toujours, que je viendrai la voir le plus possible et que je ne l'abandonnerai jamais. Dites-lui ça.

— D'accord. Je le ferai.

Et je suis reparti.

Quand je suis arrivé au bout de l'allée, la voiture noire immatriculée A30432 m'attendait. Je n'étais même pas surpris. Le chauve est sorti. Il portait toujours son costume noir et ses lunettes d'aviateur.

Il a ouvert la portière arrière.

Sans dire un mot, je suis monté dans la voiture.

27

Je n'ai pas vu le chauffeur à cause de la vitre de séparation. Cinq minutes plus tard, la voiture cahotait à travers le bois. Par la fenêtre, j'ai aperçu le garage de la femme chauve-souris un peu plus loin. Comme le jour où nous l'avions surpris, Ema et moi, le chauve est allé ouvrir le garage. Une fois la voiture à l'intérieur, il a ouvert ma portière et dit :

— Suis-moi.

Le garage était tout à fait ordinaire. Après avoir soulevé une trappe dans le sol, le chauve a commencé à descendre par une échelle. Je l'ai suivi. Nous nous sommes engagés dans un tunnel dont j'ai supposé qu'il menait à la maison.

Voilà qui expliquait la lumière que j'avais vu filtrer de la cave lors de ma précédente visite.

Comme nous dépassions une porte, j'ai demandé :

— Qu'est-ce qu'il y a, là-dedans ?

Il a poursuivi sa route sans répondre. Arrivé devant une autre porte, il a dit :

— Je ne vais pas plus loin.

— Ce qui signifie ?

— Que tu vas la voir seul.

Et il est reparti vers le garage. Les élancements dans ma tête ont repris. L'effet des médicaments devait se dissiper. Ouvrant la porte, je me suis retrouvé dans le salon.

Rien n'avait changé. Le marron était toujours la couleur dominante. Les fenêtres étaient toujours obscurcies par la poussière, quand elles n'avaient pas été remplacées par des planches. L'horloge de grand-père ne fonctionnait toujours pas. La vieille photo des hippies – sur laquelle j'avais pour la première fois vu le papillon – était toujours à sa place. Un disque tournait sur la platine : une chanson triste de HorsePower intitulée *Le temps immobile*. Et là, au milieu de la pièce, vêtue de la même robe blanche qu'elle portait lorsque je l'avais vue quelques jours plus tôt, se tenait la femme chauve-souris.

Elle m'a souri.

— Tu as bien réussi, Mickey.

Je n'étais pas d'humeur à jouer au chat et à la souris.

— Eh bien, merci. Vraiment. Je n'ai aucune idée de ce que j'ai fait ou de ce qui se passe ici, mais merci.

— Viens t'asseoir à côté de moi.

— Non, je suis bien là.

— Tu es en colère. Je comprends.

— Vous m'avez dit que mon père était en vie.

Elle était installée sur un sofa qui était déjà bon pour la décharge à l'époque d'Eisenhower. Ses cheveux ridiculement longs cascadaient dans son dos, touchant presque le coussin d'assise. Elle a pris un grand album de photos et l'a posé sur ses genoux.

— Alors ?

— Assieds-toi, Mickey.

— Est-ce que mon père est encore en vie ?

— Ce n'est pas une question simple.

— Bien sûr que si. Soit il est mort, soit il est vivant. C'est l'un ou l'autre.

— Il vit en toi, a-t-elle répondu, avec un sourire qui m'a paru un peu dément.

Jamais auparavant je n'avais eu envie de gifler une vieille dame, mais là, ça me démangeait.

— En moi ?

— Oui.

— Oh, pitié ! C'est quoi, *Le Roi lion* ? C'est ce que vous vouliez dire en m'annonçant qu'il était vivant ?

— Je voulais dire exactement ce que j'ai dit.

— Vous m'avez dit que mon père était en vie. Maintenant, vous me sortez un baratin New Age sur le fait qu'il vit en moi.

J'ai détourné la tête, cillant pour retenir mes larmes. Je me sentais anéanti. Une vieille folle me balance des trucs dont je sais pertinemment qu'ils sont faux – et moi, je m'y accroche comme un naufragé à une bouée. J'étais débile, ou quoi ?

— Donc, il est mort, ai-je dit.

— Les gens meurent, Mickey.

— Ça, c'est un scoop, ai-je rétorqué d'un ton aussi sarcastique que possible.

— Rien de ce que nous faisons n'est simple. Tu veux une réponse par oui ou par non. Mais les choses ne sont pas toutes noires ou toutes blanches. Elles sont grises.

— Soit on est mort, soit on est vivant.

Elle a souri.

— Qu'est-ce qui te rend si sûr de ça ?

Je n'ai pas su quoi répondre.

— Nous sauvons qui nous pouvons, a-t-elle repris. On ne peut pas sauver tout le monde. Le mal existe. Il n'y a pas de haut sans bas, pas de droite sans gauche. Tu comprends ?

— Pas vraiment, non.

— Ton père est venu dans cette maison quand il avait à peu près ton âge. Ça l'a changé. Il a compris sa vocation.

— De travailler pour vous ?

— De travailler avec nous, m'a-t-elle corrigé.

— Et de devenir quoi ? Un membre du refuge Abeona ?

Elle n'a pas répondu.

— Donc, c'est vous qui avez sauvé Ashley ?

— Non. Ça, c'est toi qui l'as fait.

J'ai soupiré.

— On tourne en rond, là.

— Il y a un équilibre. On fait des choix. Nous en sauvons certains, pas tous, parce que c'est la seule chose que nous pouvons faire. Le mal demeure. Toujours. On peut le combattre, mais pas le vaincre complètement. On se contente de petites victoires. À trop entreprendre, on risque de tout perdre. Mais chaque vie compte. Il y a un vieux dicton qui dit : « Celui qui sauve une vie sauve le monde. » Donc, nous choisissons.

— Vous décidez qui sera sauvé et qui ne le sera pas.

— Oui, a répondu la femme chauve-souris. Prends Candy, par exemple.

Ça m'a surpris.

— Vous connaissez Candy ?

Elle ne s'est pas donné la peine de répondre.

— Même si nous avions décidé de l'aider, il y a de grandes chances pour que Candy n'ait pas réussi à s'en sortir. Elle n'a pas de compétence, peu d'intelligence, et n'aurait pas su s'intégrer dans un lycée ou dans la société. Elle aurait probablement fini par retourner auprès de Buddy Ray ou d'un individu du même genre.

— Vous ne pouvez pas en être sûre.

— C'est vrai. Mais on met tous les atouts de notre côté. On sauve qui on peut et on pleure les autres.

Quand on suit cette vocation, on a le cœur brisé tous les jours. On rend le monde meilleur par petites touches, pas par de grands desseins. On fait des choix. Tu comprends ?

— Des choix ?

— Oui.

— Comme mon père a fait le choix de quitter le refuge Abeona. Parce qu'il ne voulait pas de cette vie-là pour moi.

— Exactement. (La femme chauve-souris a levé les yeux vers moi et penché la tête.) Comment ça s'est passé pour lui ?

Je n'ai rien dit.

— Les choix ont toujours des conséquences.

Je ne savais pas comment répondre. J'ai regardé le jardin, par la fenêtre de la cuisine à l'autre bout de la pièce.

— Il y a une tombe dans votre jardin.

Comme elle ne répondait pas, j'ai insisté :

— Avec les initiales E.S. Elizabeth Sobek est-elle enterrée ici ?

— Lizzy, a dit la femme chauve-souris. Elle préférait qu'on l'appelle Lizzy.

— Est-ce qu'elle est enterrée dans votre jardin ?

— Assieds-toi, Mickey.

— Je suis très bien ici. Lizzy Sobek, la jeune fille qui a sauvé de l'holocauste tous ces enfants, est-elle oui ou non enterrée dans votre jardin ?

— Assieds-toi, Mickey.

Cette fois, son ton était sans réplique. J'ai obéi. De la poussière s'est élevée du canapé. La femme chauve-souris a tendu son bras gauche et relevé sa manche. Le tatouage avait pâli, mais on lisait encore

A30432

J'en suis resté sans voix pendant une minute.

— Vous ?

— Je suis Lizzy Sobek. (Elle a ouvert l'album de photos.) Tu veux savoir comment tout a commencé ? Je vais te raconter. Et alors, peut-être, tu comprendras ce qui s'est passé pour ton père.

Elle m'a montré la première photo de l'album, un vieux cliché en noir et blanc représentant quatre personnes.

— C'était ma famille. Mon père s'appelait Samuel. Ma mère, Esther. Et voici mon frère aîné, Emmanuel, avec le nœud papillon. Si beau garçon. Si intelligent et si bon. Il avait 11 ans quand la photo a été prise. Moi, j'en avais 8. Je parais heureuse, n'est-ce pas ?

C'était vrai. Elle était une enfant ravissante.

— Tu sais ce qui est arrivé ensuite.

— La guerre a éclaté.

— Oui. Pendant une période, nous avons survécu dans le ghetto de Lodz, en Pologne. Mon père était un homme merveilleux. Tout le monde l'aimait. Les gens étaient attirés par lui. Ton père, Mickey, lui ressemblait beaucoup. Mais je vais trop vite. Pendant longtemps, nous avons réussi à nous en sortir en restant cachés. Je ne vais pas entrer dans les détails, te décrire toutes ces horreurs auxquelles, encore maintenant, et même moi qui en ai été le témoin, j'ai du mal à croire. Je te dirai seulement que quelqu'un a fini par nous dénoncer. Ma famille a été arrêtée par les Nazis. On nous a mis dans un train pour Auschwitz.

Auschwitz. Le nom seul donnait des frissons. Instinctivement, j'ai voulu lui prendre la main, mais elle s'est raidie.

— S'il te plaît, laisse-moi poursuivre. Même après toutes ces années, c'est difficile.

— Je suis désolé.

Elle a hoché la tête et son regard s'est perdu au loin.

— Quand nous sommes arrivés au camp, nous avons été séparés. J'ai appris plus tard que ma mère et mon frère avaient été immédiatement emmenés dans les chambres à gaz. Ils sont morts en quelques heures. Mon père a été transféré ailleurs pour travailler. J'ai été épargnée. Je ne sais toujours pas pourquoi.

Elle a tourné une page de l'album. Il y avait d'autres photos de sa famille, d'Esther et d'Emmanuel qui vivaient des vies qu'on leur avait volées pour des raisons inconcevables. La vieille dame ne regardait pas les photos. Elle gardait les yeux fixés droit devant.

— Je ne vais pas non plus entrer dans les détails de la vie concentrationnaire, a-t-elle dit. J'avance de six semaines, pour en arriver au jour où mon père et quelques autres ont désarmé leurs gardes. Un groupe de dix-huit hommes se sont échappés. La nouvelle s'est répandue dans le camp comme une traînée de poudre. J'étais transportée de joie, bien sûr, mais je me sentais aussi plus seule que jamais. Et j'avais tellement peur. Cette nuit-là, je me suis réveillée et j'ai pleuré, moi qui pensais ne plus avoir de larmes. J'avais tellement honte. Et là, alors que j'étais toute seule en train de pleurer, mon père est arrivé. Il s'est approché de ma couchette en bois et m'a murmuré : « Je ne t'aurais jamais abandonnée, ma petite colombe. » (La vieille dame a souri en évoquant ce souvenir.) Nous nous sommes échappés ensemble. Mon père et moi. Nous avons rejoint les autres hommes dans la forêt. Je ne peux pas t'expliquer ce que ça faisait, Mickey. D'être libre. C'était comme si on m'avait maintenu longtemps la tête sous l'eau et qu'enfin, je refaisais surface pour prendre une première goulée d'air. J'étais avec mon père, à chercher un moyen de rejoindre la résistance : c'est mon dernier beau souvenir. Après...

Son sourire avait disparu. J'ai attendu, ne voulant pas qu'elle s'interrompe et ne voulant pas qu'elle poursuive. C'était presque comme si quelqu'un avait éteint les lumières. La pièce s'était rafraîchie.

— Après, il nous a trouvés.

Elle s'est tournée et m'a regardé.

— Qui ? ai-je demandé.

— Le Boucher de Lodz, a-t-elle répondu dans un murmure rauque. Il appartenait à la Waffen-SS.

J'ai retenu mon souffle.

— Il nous a découverts dans la forêt. Nous a encerclés puis nous a fait creuser une fosse et la remplir de chaux. Ensuite il nous a fait nous aligner au bord. Nous tournions le dos à ses hommes. Le Boucher a regardé mon père, puis moi. Il a ri. Mon père l'a supplié d'épargner ma vie. Le Boucher m'a contemplée un long moment. Jamais je n'oublierai l'expression de son visage. Finalement, il a secoué la tête. Je me souviens que mon père m'a pris la main. Il m'a dit : « N'aie pas peur, ma petite colombe. » Puis le Boucher et ses hommes ont ouvert le feu, mais à la dernière seconde, mon père m'a poussée dans la fosse en se décalant à peine sur la droite, pour me protéger des balles. Son corps a atterri sur moi. J'ai passé la nuit là, dans le froid glacial, sous le cadavre de mon père. J'ai perdu la notion du temps. Puis l'obscurité a laissé place au jour. Enfin, je me suis dégagée et j'ai fui dans la forêt.

Elle s'est interrompue. Son récit m'avait tant bouleversé que je tremblais. Comme elle se taisait, j'ai dit :

— Et c'est à ce moment-là que vous avez commencé à sauver des enfants.

Soudain, elle paraissait épuisée.

— Un jour, je t'en raconterai davantage.

Silence.

— Je ne comprends pas, ai-je dit. Cette histoire devait m'éclairer sur mon père. Je ne vois pas en quoi.

— J'essaie de te faire comprendre.

— Comprendre quoi ?

— Mon père. Il a fait un choix. Sa vie contre la mienne. Je devais m'en montrer digne. Lui donner un sens.

J'ai senti mes yeux se remplir de larmes.

— Mais votre père a été assassiné. Le mien est mort dans un accident.

Elle a baissé les yeux et, pendant une seconde, j'ai cru voir la petite fille qu'elle avait été autrefois.

— À la fin de la guerre, alors que le monde me croyait morte, j'ai recherché le Boucher de Lodz. Je voulais le traîner devant la justice pour ce qu'il avait fait. J'ai pris contact avec des groupes qui traquaient les anciens Nazis.

J'ignorais où elle voulait en venir, mais j'ai senti les poils se hérisser dans ma nuque.

— Vous l'avez retrouvé ?

Une fois encore, elle a détourné le regard, sans répondre à ma question.

— Tu sais, il m'arrive encore parfois de voir son visage. Je le vois dans la rue, ou par ma fenêtre. Il hante mon sommeil, encore maintenant, malgré toutes les années écoulées. J'entends encore son rire, juste avant qu'il tue mon père. Mais surtout... (Elle a croisé mon regard.) Surtout, je me rappelle la façon dont il m'a dévisagée quand mon père lui a demandé de me laisser la vie sauve. Comme s'il savait.

— Qu'il savait quoi ?

— Que ma vie, la vie d'une fillette nommée Lizzy Sobek, était terminée. Que je survivrais, mais ne serais plus jamais la même. C'est la raison pour laquelle je n'ai jamais cessé de le rechercher. Pendant des années, et même des décennies. J'ai fini par trouver son vrai nom et une vieille photo de lui. Tous les chasseurs de Nazis m'ont dit de ne pas m'inquiéter, que le Boucher était mort, qu'il avait été tué durant l'hiver 1945.

C'est alors qu'elle a tourné une page de l'album et désigné la photo du Boucher dans son uniforme de la Waffen-SS. J'ai su tout de suite que les chasseurs de Nazis se trompaient, qu'il n'était pas mort. Car j'avais déjà vu cet homme.

Il avait les cheveux blond vénitien et les yeux verts. La dernière fois que je l'avais vu, il emmenait mon père dans une ambulance.

Remerciements

J'ai eu un plaisir fou à écrire *À Découvert* et je me réjouis de vous avoir pour lecteurs.

Je tiens à remercier ma merveilleuse équipe de chez Penguin YA : Shanta Newlin, Emily Romero, Elyse Marshall, Erin Dempsey, Lisa DeGroff, Courtney Wood, Greg Stadnyk, Ryan Thomann, Jen Loja et Shauna Fay – sans oublier les *usual suspects*, Brian Tart, Ben Sevier et Christine Ball.

Je dois aussi remercier les élèves de Maria Cannon, du collège George Washington, pour m'avoir aidé pour la couverture [de la version originale].

Mes enfants et leurs amis ont été pour moi une immense source d'inspiration. Oui, j'ai écouté aux portes, comme ils pourront s'en apercevoir dans certaines pages. Désolé !

Je veux remercier tout particulièrement ma merveilleuse éditrice, Jen Besser, et mon cher ami et nouvel éditeur Don Weisberg. Et, bien sûr, ma femme, Anne, qui savait que le moment était enfin venu d'écrire ce roman.

J'espère écrire d'autres livres mettant en scène Mickey Bolitar et sa bande. Pour rester en contact, n'hésitez pas à visiter le site mickeybolitar.com.

Rendez-vous également sur le site français
de l'auteur : harlan-coben.fr

FLEUVE NOIR
12, avenue d'Italie
75627 Paris Cedex 13

Composé par Nord Compo Multimédia
7, rue de Fives, 59650 Villeneuve-d'Ascq

Imprimé en France par

à La Flèche en août 2012
N° d'impression : 69496

Dépôt légal : août 2012
R09250/01